DEIXE-ME SER MULHER

DEIXE-ME SER MULHER

ELISABETH ELLIOT

LIÇÕES À MINHA FILHA SOBRE O SIGNIFICADO DE FEMINILIDADE

E46d Elliot, Elisabeth
　　　　　Deixe-me ser mulher : lições à minha filha sobre o significado de feminilidade / Elisabeth Elliot ; [tradução: Vinicius Silva Pimentel] – São José dos Campos, SP: Fiel, 2021.

　　　　　Tradução de: Let me be a woman : notes on womanhood for Valerie.
　　　　　Inclui referências bibliográficas.
　　　　　ISBN 9786557230084 (brochura)
　　　　　　　 9786557230091 (epub)

　　　　　1. Casamento. 2. Mulheres cristãs – Vida religiosa. I. Título.
　　　　　　　　　　　　　　　　　　　　　CDD: 248.843

Catalogação na publicação: Mariana C. de Melo Pedrosa – CRB07/6477

Deixe-me ser mulher

Traduzido do original em inglês:
Let me be a woman

Copyright © Valerie Elliot Shepard

∎

Publicado originalmente por Tyndale House Publishers, Inc., Carol Stream, Illinois.

∎

Copyright © 2020 Editora Fiel
Primeira edição em português: 2021

Todos os direitos em língua portuguesa reservados por Editora Fiel da Missão Evangélica Literária
PROIBIDA A REPRODUÇÃO DESTE LIVRO POR QUAISQUER MEIOS SEM A PERMISSÃO ESCRITA DOS EDITORES, SALVO EM BREVES CITAÇÕES, COM INDICAÇÃO DA FONTE.

∎

Diretor: Tiago Santos
Editor-chefe: Vinicius Musselman
Editora: Renata do Espírito Santo
Coordenação Editorial: Gisele Lemes
Tradução: Vinicius Silva Pimentel
Revisão: Shirley Lima
Diagramação: Rubner Durais
Capa: Rubner Durais
ISBN: 978-65-5723-008-4 (impresso)
ISBN: 978-65-5723-009-1 (eBook)

FIEL Editora

Caixa Postal 1601
CEP: 12230-971
São José dos Campos, SP
PABX: (12) 3919-9999
www.editorafiel.com.br

*Para aprendermos
o que significa ser mulher,
temos de começar
por aquele que a criou.*

SUMÁRIO

Apresentação 9
Prefácio de 1976 11
Uma nova perspectiva 15
1 | O Deus que está no comando 19
2 | Não "Quem sou eu", mas "De quem eu sou?" 21
3 | Onde atrelar sua alma 25
4 | Uma filha, não um filho 29
5 | Criação — a mulher para o homem 33
6 | Águas-vivas e orgulho 39
7 | O tipo certo de orgulho 43
8 | O peso das asas 49
9 | Solteirice — uma dádiva 51
10 | Um dia de cada vez 57
11 | Confiança para a separação 61
12 | Autodisciplina e ordem 65
13 | Batalha de quem? 69
14 | Liberdade através da disciplina 73
15 | Deus não põe armadilhas 77
16 | Um princípio paradoxal 81
17 | Masculino e feminino 85
18 | A alma é feminina 91
19 | A submissão é sufocante? 95

20 | Vinte perguntas 99
21 | Uma escolha é uma limitação 103
22 | Compromisso, gratidão, dependência 109
23 | Você se casa com um pecador 113
24 | Você se casa com um homem 119
25 | Você se casa com um marido 127
26 | Você se casa com uma pessoa 133
27 | Renunciando a todos os demais 139
28 | Dinâmico, não estático 145
29 | Uma união 151
30 | Um espelho 155
31 | Uma vocação 159
32 | O que faz o casamento dar certo 165
33 | Aceitação da ordem divina 169
34 | Igualdade não é um ideal cristão 175
35 | Herdeiros da graça 179
36 | Igualdade proporcional 183
37 | A humildade da cerimônia 187
38 | Autoridade 193
39 | Submissão 197
40 | Restrição de poder 205
41 | Força por meio das restrições 209
42 | Mestras de nós mesmas 213
43 | Um universo de harmonia 217
44 | Seja uma mulher de verdade 221
45 | A coragem do Criador 225
46 | O santuário interior 229
47 | Lealdade 237
48 | Amor é ação 241
49 | Amor significa uma cruz 247

APRESENTAÇÃO

É com grande alegria que a Editora Fiel publica um dos livros mais pedidos de Elisabeth Elliot pelas leitoras cristãs brasileiras, o Deixe-me ser mulher. Mesmo após décadas de sua publicação original em inglês, este livro continua sendo uma obra tão atual e relevante às mulheres quanto o foi em 1976. Feminismo, gritos homicidas em favor da legalidade do aborto, ideologia de gênero dentre outros revelam que os desafios vividos à época não só persistem como se intensificaram, demonstrando a urgência com a qual as mulheres cristãs precisam se posicionar quanto a sua verdadeira feminilidade.

Escrito especialmente para sua filha, Valerie, como uma forma de instrui-la antes de seu casamento, Elisabeth discorreu sobre 49 temas importantes não apenas para as noivas ou casadas, mas para todas as mulheres cristãs, tais como sexualidade, amor, liberdade e vocação. Este livro parece-me um dos muitos esforços de Elisabeth em ensinar sua filha nos caminhos do Senhor, especialmente após a morte de seu marido, Jim Elliot, quando Valerie tinha apenas dez meses de vida.

Ao contrário do que as feministas em geral alegam, a feminilidade não pode ser definida na incorporação de crenças e perspectivas próprias, mas exclusivamente nas verdades estabelecidas pelo Deus Criador em sua Palavra inerrante. Como disse Elisabeth Elliot, ser mulher "é a nossa natureza. É a modalidade sob a qual vivemos toda a nossa vida; é o que você e eu somos chamadas a ser — chamadas por Deus, esse Deus que está no comando. É o nosso destino — planejado, ordenado e levado a cabo por um Senhor que é infinito em sua sabedoria, poder e amor."

Ao ignorar os preceitos bíblicos de feminilidade e buscar se igualar ao homem, e até superá-lo, (e aqui não quero ignorar o outro lado da moeda, como o mau uso do papel masculino, o abuso de autoridade e a violência doméstica), a mulher feminista, inconscientemente e muitas vezes por vias equivocadas, tem almejado na verdade tudo aquilo que o próprio Deus intentou para ela desde o início da criação, um amor sacrificial que vai muito além do que qualquer mulher poderia vislumbrar. E é exatamente na sujeição e na obediência à Palavra de Deus que ela encontrará plenitude de vida e alegria. Afinal, que mulher não gostaria de ser como a mulher de Provérbios 31?

Espero que a leitura deste livro a ajude a viver toda a sua feminilidade para a glória de Deus!

Renata do Espirito Santo
Editora de livros para o público feminino e infantil,
Ministério Fiel

PREFÁCIO DE 1976

Nesta manhã, um forte vento sudoeste sopra no porto, açoitando os arbustos de lilases e as madressilvas na frente do chalé, e lançando, abruptamente, as gaivotas para o alto, embora pareça que elas querem descer. Os mastros dos veleiros atracados inclinam-se e balançam, enquanto a água cinzenta cintila com ondas espumantes. Não há som algum além do vento, do grito das gaivotas e, de vez em quando, do abafado e distante toque do sino na boia de navegação. É uma bela manhã para escrever a você, Val — melhor que as duas primeiras manhãs que passei aqui, pois foram lindas manhãs de sol em que atravessei a estrada até a praia e passeei com MacDuff. Ele corria alegremente, com seu focinho amplo varrendo a areia em busca de novos cheiros interessantes. Então, ele parava, erguia a alegre cauda e as orelhas pontudas de terrier escocês, empinava o focinho e eriçava cada nervo enquanto me esperava alcançá-lo, até sair em disparada novamente. Você sabe como ele costuma fazer.

Ontem à tarde, encontrei um lugar tranquilo na areia, fora do campo de visão de qualquer uma das casas, e me sentei encostada numa rocha lisa de granito.

Você deveria ter vindo comigo ao Cabo, mas coisas maravilhosas aconteceram para mudar isso e, em vez de estar aqui, você está com Walt. Foi uma bênção sentar-me ao sol, com a visão de Nauset Beach do outro lado do porto, pensando em sua felicidade. Sei que ele vai deixá-la hoje para assumir seus deveres como ministro na Louisiana e, então, você partirá para estudar na Inglaterra; porém, você terá passado alguns dias com ele e, quando a pessoa está noiva, dias assim são indizivelmente preciosos.

Daqui até seu casamento, em onze meses, você e eu vamos passar quatro ou cinco semanas juntas e conversar, mas eu sei que não haverá tempo para falar tudo que gostaríamos de dizer. Por isso, escrevo-lhe estas notas.

Você sabe, estou certa, que estes escritos não procedem apenas de minha própria experiência no matrimônio; procedem de uma vida inteira, cuja maior parte passei solteira (fui casada, você sabe, por apenas um sétimo da minha vida), e da condição de ser mulher e de buscar ser uma mulher — solteira, casada ou viúva — que vive para Deus. A atitude que dá origem a esse esforço está resumida nesta oração de Betty Scott Stam, copiada em minha Bíblia e subscrita quando eu tinha dez ou onze anos:

PREFÁCIO DE 1976

Senhor, abro mão de todos os meus próprios planos e propósitos, de todos os meus próprios desejos e esperanças, e aceito tua vontade para minha vida. Eu me entrego totalmente a ti, minha vida e tudo que há em mim, para ser tua para sempre. Enche-me e sela-me com teu Espírito Santo. Usa-me como quiseres, envia-me para onde quiseres, realiza toda a tua vontade na minha vida, a qualquer custo, agora e para sempre.

UMA NOVA PERSPECTIVA

Este livro foi escrito no auge do veemente movimento feminista que varreu nosso país nas décadas de 1970 e 1980. As mulheres foram instadas a sair de casa e fazer algo "gratificante". Elas deram ouvidos a isso, e muitas descobriram o que os homens poderiam ter-lhes dito com facilidade: que a gratificação não consiste em, necessariamente, encontrar num emprego — seja no chão de fábrica, seja no escritório de um executivo — algo mais do que numa cozinha. Eu sabia que a alegria e a satisfação verdadeiras estão no fato de aceitarmos a vontade de Deus — e em nenhum outro lugar. Então, como meu presente de casamento para você, escrevi um livro apresentando, sem rodeios, os grandes princípios eternos que distinguem os homens das mulheres.

Vinte e três anos atrás, Valerie, você ficou noiva de Walter D. Shepard Jr., o qual crescera em uma família de missionários na África. Conforme a injunção bíblica de "ser fecundo e multiplicar", Deus, graciosamente, deu a vocês o elevado privilégio de se tornarem pais de oito filhos: Walter III, Elisabeth, Christina, Jim, Colleen, Evangeline, Theo e Sarah. Fico fascinada ao observar a dinâmica entre essas crianças — tão diferente de sua experiência como filha única, uma criança que tinha dez meses de idade quando seu pai morreu. Os Shepard me fascinam, me exasperam e me encantam. Agora, sou a abençoadíssima avó deles.

Acredito que, de uma forma ou de outra, você tenha testado e considerado útil — embora, de certo modo, insuficiente, sem dúvida — tudo o que escrevi. Eu a vi aprendendo a ser esposa e estive com você e Walt no hospital quando você foi mãe pela primeira vez (enquanto você sofria e Walt a encorajava, eu morri mil vezes). Anos depois, estive lá para chorar com você e com Walt, enquanto segurava em uma das mãos de sua pequenina Joy, que morreu antes de nascer.

Deus lhe atribuiu a posição de esposa de pastor — primeiro na região Cajun da Louisiana, depois no Mississippi, Califórnia, e, agora, na Carolina do Sul. Tenho observado com admiração a graça e o discernimento que Deus lhe deu para treinar, nutrir, disciplinar seus filhos e educá-los em casa.

Algumas vezes, fomos ambas convidadas a falar em conferências de mulheres. Com frequência, sua sabedoria me ajudou enquanto eu tentava responder à enxurrada de perguntas sobre casamento e criação de filhos que me chegavam por meio de meu programa de rádio, *Gateway to Joy* [Portal para a Alegria]. Buscamos encorajar as mulheres a cultivarem um espírito manso e tranquilo, a aprenderem a ver Cristo em seus maridos, a amarem-nos e honrarem-nos mesmo quando parecia que eles não mereciam isso. Não esqueçamos que Cristo deu sua vida por nós e que, de nossa parte, devemos dar nossas vidas uns pelos outros. Pais e mães recebem a assombrosa tarefa de fazer de seus filhos santos, mas isso não pode ser feito senão, primeiro, pelo exemplo piedoso e, segundo (preceito sobre preceito, regra sobre regra), pela disciplina administrada com amor e oração.

Quando se encontrar sobrecarregada por tudo o que Deus exigiu de você ao criá-la mulher, leia Isaías 41.10-11: "Não temas, porque eu sou contigo; não te assombres, porque eu sou o teu Deus; eu te fortaleço, e te ajudo, e te sustento com a minha destra fiel".

26 de janeiro de 1999
Magnolia, Massachusetts

1
O DEUS QUE ESTÁ NO COMANDO

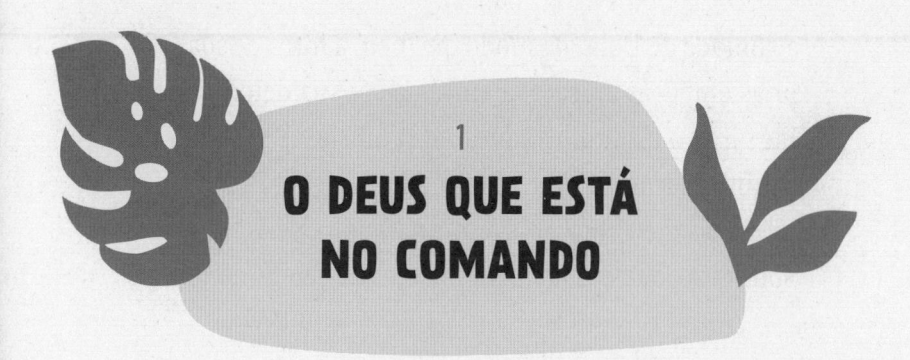

Quando Walt veio me pedir sua mão, na época de Natal, eu lhe disse: "Não há ninguém mais a quem eu a daria com tanto prazer". Em seguida, conversamos sobre quão longa seria sua espera se a data do casamento não fosse senão após a sua formatura.

"Você acha que consegue suportar?", perguntei-lhe, ao que me respondeu sem hesitar: "Senhora, eu sou um calvinista!".

Ele sabia que eu entenderia o significado daquilo. Você e eu também somos calvinistas, no sentido de que acreditamos em um Deus que está no comando. Não estamos, nem por um momento sequer de nossas vidas, à mercê do acaso. Walt compreendeu que a ocasião exata do pedido de casamento, de sua formatura na faculdade e da própria formatura dele no seminário estava entre "todas as coisas" que cooperam para o bem daqueles que amam a Deus. Ele enxergou o padrão de responsabilidades que havia diante de vocês e entendeu que aquela era a vontade de Deus, de modo que nem a força de suas próprias emoções ameaçava enfraquecer sua determinação. Ele sabia, a exemplo do próprio salmista, que, "ainda que a minha carne e o meu coração desfaleçam, Deus é a fortaleza do meu coração e a minha herança para sempre". Sou grata por Deus ter dado a você um homem como esse.

2
NÃO "QUEM SOU EU?", MAS "DE QUEM EU SOU?"

Estes escritos, de uma forma ou de outra, dizem respeito ao significado da feminilidade. Na última década, as mulheres conseguiram estar no centro das atenções. Falamos delas, ficamos todos perplexos diante delas, discutimos e legislamos sobre elas; e foram as mulheres que mais falaram, discutiram e talvez legislaram, ao passo que foram os homens, suponho, que mais ficaram intrigados. Uma torrente de livros sobre mulheres tem sido publicada, instando as mulheres a abandonar seus papéis tradicionais, a recusar a socialização que as tem controlado e confinado por séculos a fio, dizem, e a avançar para o que alguns chamam de atividades "humanas" (em oposição às atividades biológicas ou reprodutivas), as quais, sejam elas interessantes ou não, são consideradas território masculino.

Será que ser mulher é algo fundamentalmente diferente de ser homem?

Será que existe algo inerente à natureza dos seres humanos, ou da sociedade humana, que requer que certos papéis ou tarefas estejam associados a um sexo ou ao outro? Deve-se associar a autoridade apenas (ou principalmente) aos homens, e não às mulheres? Faz alguma diferença quem está na liderança? Ter um filho significa, necessariamente, que a portadora deve cuidar dele? O que é casamento? Como funciona? O destino de uma mulher é realmente tão ruim quanto afirma Germaine Greer[1], "uma vida inteira de camuflagem e rituais estúpidos, cheia de presságios e fracasso"?

A maioria dos que tentam encontrar respostas a essas perguntas começa no lugar errado. Eles começam por si mesmos. Perguntam: "Quem sou eu?", "Como realmente me sinto?", e presumem que, se um número suficiente de pessoas expressar suas opiniões particulares sobre esse assunto, de algum modo todos chegaremos à verdade da questão. Carlyle[2] observou essa tendência e assinalou com ironia: "A sabedoria ardilosa se assenta continuamente diante de sua desesperadora tarefa — a de encontrar alguma honestidade no somatório das ações de um mundo de patifes".

---

1 N. E.: Germaine Greer é uma escritora australiana considerada uma das mais proeminentes feministas do século XX.
2 N. E.: Thomas Carlyle foi um famoso escritor escocês e comentarista social do século XIX.

NÃO "QUEM SOU EU?", MAS "DE QUEM EU SOU?"

Há, sem dúvida, um tipo superficial de consolo e segurança que se pode obter ao ficar sentado e dizer como você se sente a respeito das coisas. Em geral, você encontra várias outras pessoas que se sentem da mesma forma ou (o que é ainda mais reconfortante e consolador) que se sentem pior do que você. Mas esse não é o caminho para se chegar à verdade.

Para aprendermos o significado de ser mulher, devemos começar por aquele que a criou.

3
ONDE ATRELAR SUA ALMA

Todo domingo de manhã, em nossa igreja, costumamos repetir um credo. Você sabe o que ele diz: "Creio em um Deus, o Pai Todo-Poderoso, Criador de todas as coisas visíveis e invisíveis". Aí está uma declaração que nada tem a ver com minhas opiniões ou emoções pessoais. É a declaração de um fato objetivo, aceito pela fé, e, quando me levanto na companhia de outros cristãos e repito essa declaração, não estou absolutamente falando de mim mesma. A única coisa que estou dizendo sobre mim mesma é que me submeto a essas verdades. É nisso que me sustento; essa é a Realidade.

Muitas vezes (quase sempre, receio), quando vou à igreja, meus sentimentos estão em primeiro lugar em minha mente. Isso é natural. Somos humanos, somos "egos", e não é preciso fazer esforço algum para sentir. Mas adoração não é sentimento. Adoração não é uma experiência. Adoração é um ato e, portanto, requer disciplina.

Devemos adorar "em espírito e em verdade". Não importam os sentimentos. Devemos adorar a despeito deles.

Ao perceber que meus pensamentos estão dispersos em todas as direções e que precisam ser encurralados como um monte de bezerros ariscos, eu me ajoelho antes de o culto começar. Peço para ser liberta de uma vaga preocupação comigo mesma e com minhas próprias apreensões, e para me voltar, durante aquela breve hora, para Deus. Muitas vezes, as palavras da Oração de Jesus, que aprendi em um livro sobre um peregrino russo que passou toda a vida buscando descobrir seu significado pleno, ajudam nesse "encurralamento":

"Senhor Jesus Cristo, Filho de Deus, tem misericórdia de mim." Os cristãos ortodoxos oram isso repetidamente, no ritmo da respiração. Essa oração já me resgatou da falta de palavras em muitos lugares bem diferentes do culto na igreja.

Quando me levanto para recitar o credo, sou elevada às verdades eternas, muito além das trivialidades de como me sinto, o que devo fazer depois da igreja, o que fulano disse ou fez comigo. Eu atrelo a minha alma naquelas estacas fortes, naqueles "creios". E sou fortalecida.

Às vezes, cantamos o grande hino de São Patrício:

Hoje, sobre mim mesmo coloco
o forte nome do Trino Deus.
É ele mesmo a quem invoco:

o Três em Um, o Um em Três.
Ainda hoje, clamo sobre mim
seu poder para me sustentar e guiar,
sua força para me cingir, seu olhar a me assistir,
seus ouvidos atentos àquilo de *que eu necessitar.*[3]

Se, de fato, eu creio nessas *grandes* verdades que recitamos e cantamos juntos, então ele cuidará daquelas *pequenas* coisas (e, comparativamente, o que não é pequeno?). Assumo minha posição e tomo meu rumo. Tenho de fazer isso com frequência — com mais frequência, ao que parece, nestes dias em que tantos perderam completamente o rumo.

---

[3] *The Hymnal of the Protestant Episcopal Church in the U.S.A.* (NY: Seabury Press), São Patrício, hino 268.

4
UMA FILHA, NÃO UM FILHO

Para entendermos o significado de feminilidade, temos de começar por Deus. Se, de fato, ele é "o Criador de todas as coisas visíveis e invisíveis", certamente está no comando de todas as coisas, visíveis e invisíveis, estupendas e minúsculas, magníficas e triviais. Deus tem de estar no comando dos detalhes se realmente está no comando do projeto como um todo.

Algumas vezes, ouvimos a expressão "o acidente do sexo", como se o fato de alguém ser homem ou mulher fosse uma trivialidade. Isso está muito longe de ser uma trivialidade. É a nossa natureza. É a modalidade sob a qual vivemos toda a nossa vida; é o que você e eu somos chamadas a ser — chamadas por Deus, esse Deus que está no comando. É o nosso destino — planejado, ordenado e levado a cabo por um Senhor que é infinito em sua sabedoria, poder e amor.

Eu desejei ter um filho homem. Eu tinha muita certeza de que todo homem quer um filho primeiro, e me parecia lógico querer que o mais velho fosse um menino, um irmão mais velho, o primogênito, o herdeiro. Então, oramos por um filho, e seu pai tinha muita certeza de que Deus nos daria um.

Seu pai estava comigo quando você nasceu. Pude ver seu rosto quando o médico disse: "É uma menina". Ele sorriu para mim e, imediatamente, disse: "O nome dela é Valerie". A enfermeira envolveu você em um pequeno cobertor e, em seguida, colocou-a num local onde eu pudesse ver seu rosto, e seus olhos — na época, de um azul mais escuro — estavam bem abertos, olhando nos meus. (Como um bebê sabe olhar nos *olhos* de outra pessoa?) Uma pessoa. Agora separada e independente de mim. Minha filha.

Mais tarde, eles trouxeram você para mim e eu a segurei, e então seu pai a tirou de meus braços, abraçou-a e disse: "Bonequinha!". Ele não era dado a sentimentalismos ou a fazer voz de bebê, mas não havia outra maneira de descrever sua aparência — bochechas e lábios rosados, olhos azuis, uma franja sedosa de cabelos claros. Até o médico e a enfermeira — um casal com sete filhos — disseram que você era linda.

Ele estava perfeitamente feliz, eu podia ver, em ser pai de uma filha, e não de um filho. Eu também estava feliz. Foi Deus quem nos deu você, o Deus a quem havíamos dirigido nossas orações por um filho, e o Deus que conhecia as razões que, na ocasião, nós desconhecíamos; foi ele quem fez a sua escolha infinitamente melhor.

Se você crê em um Deus que controla as coisas grandes, tem de crer em um Deus que controla as coisas pequenas. É para nós, claro, que as coisas parecem "pequenas" ou "grandes". Amy Carmichael escreveu:

Diante de ti, não *há grandeza nem pequenez, pois em ti tudo subsiste, tudo em todos és.*

5
CRIAÇÃO — A MULHER PARA O HOMEM

Esta foi uma tarde de vento agreste, com o sol aparecendo por entre as nuvens apenas por breves intervalos. Tive vontade de sair e sentir o vento, então MacDuff e eu fomos a Nantucket Sound, onde pudemos correr em uma praia de longa extensão e vazia. O vento nos ajudava a correr e talvez tenhamos percorrido um quilômetro e meio antes de darmos meia-volta. Agora, a areia soprava em nossos olhos e o vento nos dificultava. Tive de correr inclinando-me e MacDuff aplanava as orelhas e espirrava quando a areia entupia seu focinho. Bem no meio do caminho, encontrei uma duna capaz de nos proporcionar algum abrigo e me sentei. MacDuff ficou feliz em se sentar ao meu lado por alguns minutos, até que, de repente, ocorreu-lhe que ele deveria estar cavando. Então, ele passou a cavar com uma energia furiosa, lançando rajadas de areia para trás de suas poderosas patas dianteiras.

Não é difícil pensar na grandeza de Deus ao olhar para o mar e a imensidão de horizonte e céu. Não é difícil pensar no poder da imaginação divina ao observar os desenhos das conchas. (Estou dizendo que não é difícil *pensar* nisso. *É* difícil — é impossível — compreender isso. Como disse João Damasceno, um pai da igreja do século VIII: "Deus é infinito e incompreensível; e tudo que se pode compreender a seu respeito é sua infinitude e incompreensibilidade".) Deus é o Todo-Poderoso, o Criador, um Deus de ordem, harmonia e propósito. Nós cremos no relato da criação encontrado nos dois primeiros capítulos da Bíblia, assim como nos deleitamos em saber que o Criador de toda aquela lista de maravilhas se deleitou ao contemplá-las. Ele fez cada coisa de acordo com a Palavra de seu poder e, ao contemplá-las, viu que tudo era bom.

Ele criou o homem à sua imagem e, então, pela primeira vez, Deus viu algo que não era bom. Não era bom que o homem estivesse só. Deus decidiu criar uma auxiliadora que lhe fosse idônea; e foi depois dessa decisão, de acordo com Gênesis 2.19, que ele formou os animais e os pássaros — como se, dentre eles, tal auxiliadora pudesse ser escolhida.[4] Ele até os trouxe a Adão, "para ver como este lhes chamaria". Imagine o Criador Todo-Poderoso esperando "para ver" quais nomes Adão, sua criatura, seria capaz de inventar! Adão foi capaz de inventá-los, é verdade. O poder de sua imaginação também era impressionante.

---

4 N. E.: A ordem aqui apresentada contraria a ordem criacional de Gênesis 1. A formação dos animais em Gênesis 2 estabelece não a sequência, mas o contexto no qual o Senhor traz os animais para Adão nomear e perceber a necessidade de uma auxiliadora que lhe fosse idônea.

Ele pensou em nomes para cada um dos animais domésticos, das aves e dos animais selváticos. E ele e Deus devem tê-los examinado juntos, um a um.

Deve ter sido uma cena e tanto — Deus e Adão examinando os animais. Será que Adão, ao contemplar esses outros seres, teve pelo menos um momento de crise de identidade (como eu teria tido), perguntando-se: "Quem sou *eu*, em comparação a eles"?

Você e eu amamos zoológicos. Ficamos paradas, de olhos fixos. Certa vez, vimos tigres acasalarem (uma senhora perto de nós disse: "Muito bem, garota!", mas um homem falou: "Vou-me embora!"); e outra vez, quando você tinha três ou quatro anos, ficou encarando um elefante até que, finalmente, disse: "Como eles têm essas coisas em vez de pés?".

Os animais nos encaram de volta, seus olhos encontrando os nossos através das barras das jaulas. Algo infinitamente maior que essas jaulas nos separa. Há um grande abismo estabelecido, um mistério insondável que, penso eu algumas vezes, os próprios animais entendem — eles nos fitam com tanta serenidade —, mas que me faz lembrar quão abismal é minha própria ignorância. Os homens capturam, usam, controlam e matam os animais. Às vezes, eles os amam.

Nós amamos MacDuff. Nenhuma outra palavra se aplica. Nós o amamos. Ele é um bom companheiro, perfeitamente silencioso quando está dentro de casa e eu estou trabalhando, perfeitamente disposto a fazer o que quer que eu decida fazermos à tarde e perfeitamente dedicado à sua divinamente atribuída (sim, acho que foi *atribuída*) tarefa de me manter feliz. Adão, estou certa, amava os animais que eram seus companheiros no Jardim. Talvez ele até mesmo tivesse como amigo especial um cachorro, um cavalo ou um unicórnio. Mas o que ele entendia e que nós também entendemos?

Ontem mesmo, li a respeito de uma bela égua de corrida que quebrou o tornozelo e continuou a correr, fazendo o que fora treinada para fazer, até que, finalmente, teve de parar. Eles tentaram tratá-la, mas, ao recuperar a consciência, ela lançou fora a ligadura de gesso em um frenesi de medo e dor. Tiveram de sacrificá-la. A foto de revista daquela criatura magnífica, amarrada por finas rédeas enquanto empinava, me deixou consternada. Sua obediência aos treinadores e ao jóquei proporcionou lucro a seus donos, mas sofrimento e morte a ela. Ninguém foi capaz de lhe dar explicações ou de lhe pedir desculpas.

Lá estão os animais, nossos companheiros, na condição de criaturas do mesmo Deus Criador, nossos companheiros no sofrimento, mudos e misteriosos. "Para o homem, todavia, não se achava uma auxiliadora que lhe fosse idônea" (Gn 2.20).

Deus poderia ter dado outro homem para ser amigo de Adão — para caminhar, conversar e discutir com ele —, se isso fosse do seu agrado. Mas Adão precisava de mais do que a companhia dos animais ou a amizade de um homem. Ele precisava de uma auxiliadora especialmente projetada e preparada para cumprir essa função. Foi uma mulher que Deus lhe deu, uma mulher "idônea", adequada, talhada, inteiramente apropriada a ele, formada de seus próprios ossos e de sua carne.

Não se pode fazer uso adequado de algo a menos que se saiba para o que aquilo foi feito, se é um pino de segurança ou um veleiro. Para mim, é algo maravilhoso ser mulher sob a autoridade de Deus — saber, antes de tudo, que fomos *criadas* ("Criou Deus, pois, o homem à sua imagem, à imagem de Deus o criou; homem e mulher os criou"; Gn 1.27) e, então, que fomos criadas *para* algo ("E a costela que o Senhor Deus tomara ao homem, transformou-a numa mulher e lha trouxe"; Gn 2.22).

Essa foi a ideia original. Era isso que uma mulher deveria ser. O Novo Testamento faz referência clara e firme a esse propósito: "Porque o homem não foi feito da mulher, e sim a mulher, do homem. Porque também o homem não foi criado por causa da mulher, e sim a mulher, por causa do homem" (1Co 11.8-9). Alguns textos estão sujeitos a diferentes interpretações, mas, por mais que eu me esforce, não consigo ver nenhuma ambiguidade nesse aqui.

6
ÁGUAS-VIVAS E ORGULHO

Quando você era bem pequena, às vezes se referia a "certas pessoas" quando, na verdade, falava de si mesma. Certa noite, quando estávamos a bordo de um navio, você estava enfiada no beliche superior e tinha acabado de terminar suas orações noturnas.

"Deus criou tudo que há no mundo", disse a mim, "mas certas pessoas não sabem por que ele criou as águas-vivas e os tigres". Certa vez, você fora queimada por uma água-viva; e "tigres" era a forma como você chamava as jaguatiricas e as onças-pintadas que habitavam a selva em que vivíamos. Os índios sentiam medo delas e, claro, você também. Mas você não estava perguntando especificamente *por que* Deus os havia criado. Você não entendia, mas não estava exatamente admitindo isso. Estava apenas observando, de uma forma filosófica, que havia quem não entendia e, diplomaticamente, não estava sugerindo que aquele fosse o caso de sua mãe. Sua mente de três anos dificilmente seria capaz de compreender as implicações do mistério no qual você havia tocado. Afinal de contas, a resposta teria de incluir, sob uma perspectiva humana, uma explicação para o sofrimento humano. No entanto, a água-viva e o tigre "sabem" para o que foram criados. Eles, com todos os monstros marinhos e todos os abismos, o fogo e o granizo, a neve e o vapor, os montes e os outeiros, as feras e todo o gado, louvam ao Senhor. A água-viva glorifica seu Criador por ser uma água-viva, pois, ao sê-lo, ela cumpre o comando de seu Criador.

Todas as criaturas, com duas exceções que conhecemos, voluntariamente ocuparam os lugares que lhes foram designados. A Bíblia fala tanto de anjos que se rebelaram e, então, foram expulsos do céu como da queda do homem. Adão e Eva não se contentaram com o lugar que lhes fora designado. Eles rejeitaram a única limitação estabelecida para eles no jardim do Éden e, assim, trouxeram o pecado e a morte ao mundo inteiro. Na verdade, foi a mulher, Eva, quem viu a oportunidade de ser algo diferente do que fora criada para ser — a serpente a convenceu de que ela poderia facilmente ser "como Deus" — e tomou a iniciativa. Não há como saber se uma conversa prévia com seu marido poderia ter conduzido a um desfecho totalmente diferente. Talvez sim. Talvez, quando ela lhe apresentasse a questão e ele houvesse de refletir sobre o assunto, ele veria as implicações mortais e recusaria o fruto. Mas Eva já o havia provado e não fora fulminada. Ela, então, o ofereceu ao marido. Como ele poderia recusar? Sem dúvida, Eva era uma linda mulher. Era a mulher que Deus lhe dera. Ela estava apenas testando o que parecia ser uma restrição desnecessária e trivial, e sua ousadia fora recompensada. Ela havia escapado impune; então, por que Adão não deveria fazer o mesmo?

Como seria o mundo se Eva houvesse recusado a oferta da serpente e lhe tivesse dito: "Que eu não seja como Deus! Deixe-me ser o que fui criada para ser — deixe-me ser mulher"?

Porém, o pecado foi muito mais fatal do que seus piores pensamentos. Foi *húbris*, um erguer-se da alma em provocação a Deus, aquele orgulho que usurpa o lugar de outrem. É um tipo condenável de orgulho.

7
O TIPO CERTO DE ORGULHO

Existe, porém, outro tipo de orgulho que todo homem e toda mulher sob a autoridade de Deus devem cultivar. Isak Dinesen o define em seu belo livro *A fazenda africana*:

> Orgulho é a fé na ideia que Deus teve ao nos criar. Um homem orgulhoso está consciente dessa ideia e deseja realizá-la. Ele não se esforça para obter uma felicidade ou um conforto que possam ser irrelevantes para a ideia que Deus tem a seu respeito. Seu sucesso está na ideia de Deus, em realizá-la com sucesso, e ele ama seu destino.[5]

Eu aprendi (embora tardiamente, receio) o que é amar meu destino. Seu pai aprendeu isso muito tempo antes. "Onde quer que você esteja", escreveu ele, "esteja lá

---
5 Isak Dinesen, *A fazenda africana* (São Paulo: SESI-SP, 2018).

de forma plena. Viva plenamente todas as situações que você acredita serem a vontade de Deus". Na minha opinião (e confio que meu julgamento não seja totalmente enviesado pelo fato de eu ser sua mãe), você sempre entendeu isso. Praticamente desde o nascimento, você tem não apenas aceitado, como também tem sido exuberante em sua aceitação.

"Pessoas sem orgulho", continua Dinesen, "não estão nada cientes da ideia de Deus ao criá-las e, às vezes, fazem você questionar se essa ideia jamais existiu ou se foi perdida — e quem voltará a encontrá-la? Elas são obrigadas a aceitar como sucesso aquilo que os outros consideram ser e a obter felicidade, até mesmo sua própria identidade, pela cotação do dia".[6]

Algumas poucas mulheres, de visão grotescamente distorcida, estão tentando redefinir para nós o significado do "sucesso" feminino. Elas nos dizem que nossa felicidade não repousa na ideia de Deus ao nos criar, mas, sim, na total obliteração dessa ideia. A criação de macho e fêmea como opostos complementares não tem lugar em seu pensamento; e qualquer definição de masculinidade e feminilidade é totalmente desprovida de sentido senão como referência a expectativas culturais e sociais. Podemos alterar a masculinidade e a feminilidade simplesmente alterando os processos de condicionamento.

---

6 Ibid.

O TIPO CERTO DE ORGULHO

Você entenderia melhor do que alguns quanto as culturas e as sociedades diferem em suas expectativas com relação aos comportamentos masculino e feminino. Em seus primeiros oito anos de vida, você viveu com índios sul-americanos que traçavam distinções bastante nítidas entre os sexos. Não eram sempre as distinções que nós, norte-americanos, faríamos, mas, ainda assim, eram distinções. As mulheres tinham cabelos longos; os homens, curtos. Os homens comiam primeiro, as mulheres esperavam para comer o que quer que sobrasse após os homens terminarem. As mulheres carregavam fardos pesados. Os homens não eram considerados fisicamente capazes para realizar esse trabalho. Tanto homens como mulheres estavam dispostos a trabalhar para os brancos, brandindo facões para limpar pastos e matagais — e, embora as mulheres fossem, em geral, mais eficientes nessa tarefa, seus salários eram menores que os dos homens, a despeito de as horas trabalhadas serem as mesmas. Os homens caçavam; as mulheres plantavam. Os homens usavam armas (zarabatanas ou espingardas, dependendo de quão "civilizados" fossem); as mulheres faziam redes de pesca, potes, redes de dormir, peneiras. Os homens teciam cestos. Como uma pequena garota estrangeira, você assumiu seu próprio lugar entre eles, aprendendo a capturar peixes com as mãos, como as mulheres faziam; também aprendeu a cozinhar, amassar, mastigar e cuspir sua mandioca para fazer *chicha* e então, antes de você mesma beber, a servir os garotos que eram seus amigos. Você aprendeu a brandir o facão, a fazer fogueiras e a caminhar pelas trilhas com um pé na frente do outro; e você também sabia que, assim como as crianças índias, não era seu papel reclamar.

Não me lembro de quando falamos de sexo pela primeira vez. Você cresceu sabendo a respeito. Você mal havia saído das fraldas quando me ajudou a salvar a vida de um bebê que estava com dificuldades para nascer. O bebê estava em posição pélvica e as mulheres, que já haviam começado a lamentar a morte de mãe e filho, recusaram-se a me ajudar. Eu precisava de um pano quente para envolver o corpo do bebê e, assim, evitar que ele tentasse respirar antes da hora; mas ninguém queria sujar suas roupas. Você correu e me trouxe uma de suas próprias fraldas e então, maravilhada, testemunhou, ao lado dos outros, o bebê finalmente nascer, com vida e chorando.

Você tinha apenas três anos quando fomos morar com os Auca, um povo que andava nu e cujas conversas eram quase exclusivamente sobre caçadas, lanças e sexo. Não havia opções de vocabulário. A língua deles não fazia distinção entre vocabulário médico, expressões infantis e linguagem chula. Havia apenas palavras totalmente diretas para órgãos, funções e atividades, e qualquer conversa cotidiana poderia citá-las — então, é claro, você as aprendeu. E agora você esqueceu tudo isso, incluindo todo o resto da língua que aprendeu; contudo, você se lembra das pessoas e da vida que teve com elas lá, e isso me alegra.

Você sempre carregava suas bonecas enroladas em uma manta a tiracolo, como faziam as mães índias e como você mesma fora carregada. Você brincava de casinha com as crianças indígenas — algo que elas nunca haviam pensado em fazer, mas você lhes mostrou como arranjar um pequeno lugar no buraco de uma raiz de árvore e ali acender uma pequena fogueira; afinal de contas, o único item realmente essencial em uma casa na selva era a fogueira. Será que você estava se conformando às pressões sociais ao ter essas brincadeiras de "menina"? Certamente, não. Certamente, era porque você nasceu mulher. Havia em você um conhecimento divinamente implantado a partir do qual sua imaginação, mais ativa que a dos nativos, começava a trabalhar.

Quando você ficou mais velha e nós viemos morar nos Estados Unidos, lembro-me de sua expectativa ao ir à escola pela primeira vez. Você começou a quarta série e, em poucos dias, já havia entrado no ritmo dessa nova vida, tão diferente da anterior, e, no que me pareceu uma questão de semanas, você havia crescido. Nós havíamos conversado, quando você era pequena, sobre as maravilhas de ser mulher. Certa vez, quando tinha cerca de quatro anos, você foi entrevistada em um programa infantil no rádio.

"O que você vai ser quando crescer, Valerie?", perguntaram a você (é claro!).

"Só quero ser uma mamãe", foi sua resposta sem hesitação.

Crescer era muito empolgante. Você mal podia esperar e, quando, por fim, chegou o dia em que soube que era de fato uma mulher, você veio me contar com os olhos brilhando.

8
O PESO DAS ASAS

Perspectivas fazem toda a diferença no mundo. Se você tiver pelo menos um vislumbre do projeto divino (e quem pode ter mais do que um vislumbre de qualquer parte dele?), ficará no mínimo humilhada e maravilhada. Creio que uma verdadeira compreensão desse projeto também a tornará uma pessoa grata. Mas há aquelas para quem ser mulher é simplesmente um incômodo, algo que suportam por ser inevitável, mas que ignoram tanto quanto possível. Elas gastam a vida ansiando por serem outra coisa. Cada criatura de Deus recebe algo que poderia ser chamado de inconveniente, suponho, dependendo de sua perspectiva. Tanto o elefante como o camundongo podem reclamar de seu tamanho; a tartaruga, de seu casco; o pássaro, do peso de suas asas. Mas os elefantes não são chamados a se esconder por trás de lambris; ratos não serão encontrados "marchando, como se tivessem um compromisso no fim do mundo"; tartarugas não precisam voar; nem os pássaros, rastejar. O dom e a habilidade especiais de cada criatura definem suas limitações particulares. E, assim como o pássaro facilmente aceita a necessidade de carregar suas asas ao descobrir que, na verdade, são as asas que carregam o pássaro — para cima, para longe do mundo, para o céu, para a liberdade —, a mulher que aceita as limitações da feminilidade encontra, nessas mesmas limitações, seus dons, sua vocação especial — asas, de fato, que a carregam até a liberdade perfeita, até a vontade de Deus.

Você já me ouviu falar de Gladys Aylward, a "pequena mulher" da China que ouvi palestrar muitos anos atrás, no Prairie Bible Institute, em Alberta. Ela contou que, quando era criança, tinha duas grandes tristezas. Uma era que, enquanto todas as suas amigas tinham lindos cabelos dourados, o dela era preto. A outra era que, enquanto suas amigas ainda estavam crescendo, ela estancou, com cerca de um metro e cinquenta de altura. Porém, quando, enfim, chegou ao país para o qual Deus a havia chamado para ser missionária, ela parou no cais em Xangai e ficou observando ao redor o povo para quem ele a havia chamado.

"Cada um deles", disse ela, "tinha cabelo preto. E cada um deles havia parado de crescer e tinha a mesma altura que eu. E eu disse: 'Senhor Deus, *tu sabes o que fazes!*'".

9
SOLTEIRICE — UMA DÁDIVA

Aquilo que somos é uma dádiva e, como outras dádivas, é uma escolha somente do Doador. Ele não nos apresenta uma lista de opções: o que você gostaria de ser? Quão alta? De que cor? Qual temperamento prefere? Que pais você escolheria como seus progenitores?

Portanto, você é uma mulher, escolhida desde a fundação do mundo, concedida a pais que haviam pedido por um menino (e só Deus sabe quantas vezes e quão profundamente eu agradeci por ele haver negado aquela ignorante oração). E, antes de completar vinte anos, você entregou seu coração ao homem que, em breve, será seu marido, de modo que não sabe, de fato, o que é ser uma mulher solteira. Você não foi convidada a se debater com essa questão. Relativamente poucas mulheres precisam fazê-lo, pois a maioria se casa. E, entre aquelas que se casam, noventa por cento o fazem antes dos 21 anos, o que significa que jamais souberam o que é ser uma mulher solteira no mundo.

Elas provavelmente viveram com seus pais e foram sustentadas por eles durante a maior parte de sua vida. Muitas estavam na faculdade na época em que se casaram — como acontecerá com você — e, portanto, o tempo delas foi planejado por outrem. Nenhuma decisão importante terá cabido inteiramente a elas.

Eu lhe contei um pouco de minha própria perplexidade a respeito desse assunto quando era uma estudante universitária, pois eu cria que Deus estava me chamando para ser missionária e, possivelmente, uma mulher solteira. Eu queria ser missionária, mas não queria ser solteira. Parecia que eu iria para a África, e o único homem por quem eu me interessava estava prestes a ir para a América do Sul, o único lugar para onde eu tinha certeza de que nunca iria.

Houve um dia, apenas uma semana antes de eu me formar, em que aquele homem e eu conversamos sobre casamento e os rumos pelos quais Deus parecia estar nos guiando, e me lembro de ele dizer que Paulo considerava a vida de solteiro uma dádiva. Bem, pensei debochadamente, Paulo de fato tinha algumas ideias bizarras e certamente não devia ser levado muito a sério em sua opinião sobre o casamento. O que ele sabia sobre casamento? Ele era solteiro porque gostava de estar solteiro; e eu suspeitava de homens assim. (Depois disso, ocorreu-me que não temos evidências de que Paulo nunca tenha sido casado.)

Porém, depois de passar mais de 41 anos sem marido, aprendi que isso é realmente uma dádiva. Não uma dádiva que eu teria escolhido. Não há muitas mulheres que a escolheriam. Mas nós não escolhemos nossas dádivas, lembra? Elas nos são dadas por um Doador divino que conhece o fim desde o começo e que deseja, acima de tudo, dar-nos a dádiva de si mesmo. É no contexto dessas circunstâncias que ele escolhe para nós — solteirice, casamento, viuvez — que nós o recebemos. É ali, e em nenhum outro lugar, que ele se dá a conhecer a nós. É ali que temos a oportunidade de servir a ele.

Em 1 Coríntios 7, Paulo diz que é melhor que cada homem tenha sua própria esposa e que cada mulher tenha seu próprio marido, "por causa da impureza" (v. 2). Então, quase imediatamente, ele diz: "Quero que todos os homens sejam tais como também eu sou; no entanto, cada um tem de Deus o seu próprio dom; um, na verdade, de um modo; outro, de outro. E aos solteiros e viúvos digo que lhes seria bom se permanecessem no estado em que também eu vivo. Caso, porém, não se dominem, que se casem; porque é melhor casar do que viver abrasado" (vv. 7-9).

Nos cinco anos seguintes à minha formatura, até meu casamento com ele, aquele jovem e eu esperamos em Deus, oramos, examinamos as Escrituras, trocamos correspondência e, em ocasiões muito esparsas, pudemos conversar sobre esses assuntos. Será que Paulo estava colocando a vida de solteiro acima do casamento? Sem dúvida, parecia que sim. Ele falou da fraqueza de não poder resistir à tentação e dos obstáculos ao serviço de Deus que o casamento inevitavelmente traria. Ele lembrou aos coríntios da "angustiosa situação presente", que tornava imprudente alguém tentar mudar seu estado civil a qualquer custo. Ele disse que o homem que se casa com sua prometida faz bem, mas o que se abstém de casar faz ainda melhor. Uma viúva, na opinião de Paulo, é *mais feliz* ao não se casar novamente; e ele pensava que nisso estava o Espírito de Deus.

Não é de admirar que tenhamos ficado confusos e que um homem com a determinação de seu pai tenha refletido longa e seriamente sobre as aparentes contradições desse difícil capítulo. Ele ansiava pelo caminho "melhor" e "mais feliz". Ele estava determinado a experimentar o bastante da força e da graça de Deus para vencer as fraquezas comuns da carne de um homem. Ele conhecia a própria e forte atração por mulheres. Ele também estava determinado a servir ao Senhor sem embaraços. Chegou o momento, porém, em que o casamento tornou-se, para ele, um mandamento claro, e ele soube que se tratava de uma dádiva, dada pelo mesmo Doador que dá a alguns a dádiva especial de ser solteiro. "Ande cada um segundo o Senhor lhe tem distribuído", escreveu Paulo.

A certo jovem que estava vacilando quanto à questão do casamento, Martinho Lutero escreveu:

> A castidade não está em nosso poder, assim como as demais maravilhas e graças de Deus. Mas todos nós fomos feitos para o casamento, como mostram nossos corpos e como as Escrituras declaram em Gênesis 2: "Não é bom que o homem esteja só; far-lhe-ei uma auxiliadora que lhe seja idônea".
>
> Reputo que o temor dos homens e a timidez estejam a impedir seu caminho. Diz-se que é preciso ter ousadia para um homem se aventurar no casamento. O que você precisa, acima de tudo, então, é ser encorajado, admoestado, instado e incitado, e ter ousadia. Por que você se demoraria, meu querido e reverendo senhor, e continuaria a pesar o assunto em sua mente? Isso precisa acontecer, deve acontecer e vai acontecer de qualquer maneira. Pare de pensar a esse respeito e vá direto ao ponto, alegremente. Seu corpo exige isso; Deus quer e o conduz a isso. Não há nada que você possa fazer a respeito [...] É melhor nos conformarmos a todos os nossos sentidos, o quanto antes, e nos entregarmos à Palavra e à obra de Deus em tudo que ele deseja que façamos.
>
> Não tentemos voar mais alto e ser melhores do que Abraão, Davi, Isaías, Pedro, Paulo e todos os

patriarcas, profetas e apóstolos, bem como muitos santos mártires e bispos — e todos eles sabiam que haviam sido criados por Deus como homens que não se envergonhavam de ser homens e de ser considerados como tais, comportando-se de acordo com isso, e não ficaram sós. Quem quer que se envergonhe do casamento também se envergonha de ser homem ou de ser considerado como tal; ou então pensa que pode tornar-se melhor do que Deus o fez.[7]

---

7 "Carta de Lutero a Wolfgang Reissenbusch", 27 mar. 1525, *Library of Christian Classics*, vol. XVIII (Philadelphia: Westminster Press).

10
UM DIA DE CADA VEZ

Há alguns anos, eu estava conversando com um grupo de estudantes sobre a solteirice e comentei que eu me considerava, na condição de viúva, numa situação mil vezes melhor do que uma mulher que nunca fora casada. Uma garota do grupo contestou essa afirmação. Afinal, por que eu acreditava estar em melhor situação? Bem, é bastante simples, respondi, porque eu considerava melhor ter amado e perdido do que nunca ter amado. "Por quê?", insistiu em saber. Admiti que era puramente uma questão de opinião e, se ela achava estar em melhor situação do que eu, longe de mim tentar dissuadi-la.

Recentemente, pela primeira vez, conheci uma mulher que me disse que era solteira por opção. Conheci outras mulheres que tiveram a chance de se casar com homens com quem não queriam casar-se, mas que, ainda assim, gostariam de se casar com o homem "certo". A senhora que eu conheci recentemente foi a primeira a me dizer que havia escolhido a solteirice.

Às perguntas rudes frequentemente feitas a mulheres solteiras, uma de minhas conhecidas responde que ela é "solteira por uma excelente razão que não pertence ao interesse público".

Uma senhora na casa dos sessenta ainda declara não ter o que Paulo chama de o dom da solteirice. Ela tem vivido esses sessenta anos sem esse dom, pois Deus lhe assegurou, garantiu-me ela, que há um marido preparado para ela em algum lugar. Ela só tem de esperar que esse homem apareça. Talvez ela esteja certa de que Deus tem um marido preparado para ela. Mas eu acho que está errada ao dizer que não tem o dom da solteirice. Ela tem tido esse dom por toda a sua vida. Deus ainda pode lhe dar o dom do casamento, pois muitos de seus dons podem ser dados por apenas uma parte da vida. Conheço três cristãos que, por um curto período, tiveram o dom de curar outras pessoas — dom que, depois, lhes foi tirado. Por que Deus não poderia dar a alguém a solteirice pela maior parte da vida e, depois, dar-lhe um casamento? Ou acaso ele não pode dar o casamento e, em seguida, às vezes muito cedo, a viuvez?

A verdade é que nenhum de nós conhece a vontade de Deus para sua vida. Eu digo *para sua vida* porque a promessa é a seguinte: "À medida que andares passo a passo, eu abrirei o caminho diante de ti". Ele nos dá luz suficiente para o dia de hoje, força suficiente para um dia de cada vez, maná suficiente, o pão nosso de "cada dia".

E a vida de fé é uma jornada do ponto A ao ponto B, do ponto B ao ponto C, assim como os filhos de Israel, que "partiram [...] e acamparam em Obote. Depois, partiram de Obote e acamparam em Ijé-Abarim, no deserto [...] E, dali, partiram e acamparam na outra margem do Arnom [...] Dali partiram para Beer [...]. Do deserto, partiram para Matana. E, de Matana, para Naaliel e, de Naaliel, para Bamote. De Bamote, ao vale que está no campo de Moabe" (Nm 21.10-20).

Pelo que sabemos, nada aconteceu nesses lugares. Obote, Ijé-Abarim, Arnom, Beer, Matana, Naaliel e Bamote não significam nada para nós. Aquela multidão imensa simplesmente seguia adiante. Eles viajavam, paravam e montavam acampamento, então faziam as malas de novo e viajavam mais um pouco e montavam outro acampamento. Eles reclamavam. Era tanta reclamação que até mesmo Moisés, um homem bastante manso, mal suportava olhar para aqueles a quem Deus o chamara a conduzir. Mas, durante todo o tempo, Deus estava com eles, conduzindo-os, protegendo-os, ouvindo seus clamores, instigando-os e guiando-os, sabendo para onde estavam indo e quais eram seus propósitos para eles. Ele nunca os deixou.

Não é difícil, ao ler toda a história de como Deus libertou Israel, enxergar como cada incidente individual se encaixa em um padrão para o bem. Nós temos uma perspectiva que aqueles pobres andarilhos não tinham. Mas isso deve ajudar-nos a confiar no Deus deles. Cada uma das etapas de sua jornada, a maioria enfadonha e monótona, era uma parte necessária do movimento em direção ao cumprimento da promessa.

    A solteirice pode ser apenas uma etapa na jornada da vida, porém até mesmo uma etapa é uma dádiva. Deus pode substituí-la por outra dádiva, mas o destinatário aceita essas dádivas com ações de graças. *Esta* dádiva para *este* dia. A vida de fé é vivida um dia de cada vez; e tem de ser *vivida* — não se pode ficar sempre esperando, como se a vida "verdadeira" estivesse prestes a chegar. Nós somos responsáveis pelo hoje. Deus continua a ser o dono do amanhã.

11
CONFIANÇA PARA A SEPARAÇÃO

Você, porém, está prestes a se casar. Para você, com certeza, a "vida verdadeira" parece estar bem próxima, e é natural e correto que você aguarde com expectativa o dia maravilhoso que inaugurará uma espécie de vida inteiramente nova para você. Contudo, tanto quanto uma mulher solteira sem perspectivas palpáveis, você também deve viver a vida de fé. Você compreende o chamado de sua sexualidade para ser uma mulher em comunhão com todas as demais mulheres e os demais homens. Você não é uma mulher apenas em relação a Walt. Se assim fosse, naturalmente, as mulheres solteiras estariam privadas do significado de sua sexualidade. A felicidade e a plenitude delas seriam etéreas, a ponto de negarem aquilo que as distingue dos homens. Essa não é a verdade das Escrituras. As Escrituras ensinam que cada distinção estabelecida pela criação é uma parte necessária e insubstituível do projeto divino. Não conheço palavra melhor para expressar isso do que *chamado*. É algo espantoso descobrir que somos individualmente chamadas. Recebemos um chamado como mulheres, mas também somos chamadas como mulheres individuais, e é individualmente que devemos responder.

Houve longas semanas de separação de Walt, quando você fez coisas que desejava ardentemente compartilhar com ele. A formatura dele ocorreu em um dia no qual era impossível você estar presente, e você teve de perdê-la. A ordenação dele ao ministério ocorreu enquanto você estava na Inglaterra. Ele começou a pregar sem você, e essas experiências nunca poderão ser recuperadas ou revividas.

Eu me lembro da sensação. Seu pai (antes de noivarmos) viajou de navio por três semanas, de San Pedro, na Califórnia, ao Equador, parando em portos fascinantes ao longo do caminho, de onde me enviou cartas fascinantes. Ele começou a estudar espanhol em Quito sem mim. Fez sua primeira viagem à selva, onde mais tarde iria trabalhar. Teve sua primeira oportunidade de fazer trabalho médico, sua primeira tentativa de usar uma linguagem não escrita — todas essas eram coisas que eu mesma ansiava por fazer — e ansiava, desesperadamente, fazer ao lado dele. "Não deixe nosso anseio destruir o apetite do nosso viver", escreveu-me, e essas palavras, desde então, me ajudaram muito. Nós aceitamos e agradecemos a

Deus pelo que nos é dado, não permitindo que o *não dado* estrague tudo.

Esse é o chamado. Essa é a ordem de nossa vida. Não há nada de acidental nisso. Podemos entregar-nos a Deus e aceitar tudo o que vem dele. Isso é parte do que Walt quis dizer com "Senhora, eu sou um calvinista!".

12
AUTODISCIPLINA E ORDEM

Há um hino de John Greenleaf Whittier que diz:

> *Derrama a tua calmaria,*
> *descanso da angústia pertinaz.*
> *Ordena-nos a alma e livra-nos da agonia,*
> *a fim de declararmos, noite e dia,*
> *a sublime beleza de tua paz.*[8]

Nós somos as criaturas de um grande mestre projetista e, embora ele ordene nossa vida de modo seguro e certo, muitas pessoas, aparentemente, vivem sem qualquer ordem, paz ou serenidade. O modo como vivemos deve manifestar a veracidade daquilo em que cremos. Uma vida confusa fala de uma fé confusa e incoerente.

Essa questão da ordem é algo em que temos trabalhado por muito tempo, não é, Val? Significa autodisciplina.

---

8 *Episcopal Hymnal*. Whittier; hino 435.

"Se vós permanecerdes na minha palavra, sois verdadeiramente meus discípulos; e conhecereis a verdade, e a verdade vos libertará" (Jo 8.31-32). A liberdade começa lá atrás. Não começa por fazer o que você quer, mas por fazer o que deve ser feito — ou seja, com disciplina. Começa por "permanecer na palavra". Ser discípulo significa ser disciplinado. E nós temos trabalhado nisso, não é? Praticamente desde o dia em que você nasceu, tentei ensiná-la que minhas palavras tinham significado. Elas deveriam ser levadas a sério; você deveria viver por elas em sua vida de criança. Como aprenderemos a crer em Deus e a obedecer a ele se não formos ensinados desde a mais tenra infância a acreditar naqueles que ele colocou sobre nós e a obedecer a essas pessoas? Uma criança deve saber, acima de tudo e sem sombra de dúvida, que a palavra falada será a palavra cumprida. Tanto ameaças ("Se você não fizer isso, vai apanhar") como promessas ("Se você guardar todos os seus brinquedos, vai ganhar um picolé"), se não forem cumpridas, arruínam a moralidade de uma criança. O fracasso em cumprir ameaças e promessas habitua a criança a desconsiderar o que é dito. Isso a habitua a mentir. Se os pais não são confiáveis, não é preciso obedecer a eles e, portanto, nenhuma autoridade é confiável nem se deve obedecer a ela. A obediência é opcional, dependendo da conveniência, da disposição ou de uma recompensa imediata.

Deus não nos ensinou assim. "No princípio era o Verbo, e o Verbo estava com Deus, e o Verbo era Deus" (Jo 1.1). "Aquele que tem os meus mandamentos e os guarda, esse é o que me ama." "Se me amais, guardareis os meus mandamentos." E "os seus mandamentos não são penosos".

Quando você era pequena, sempre havia indígenas ao nosso redor, e eu tinha muitas coisas em mente ao administrar uma base missionária na selva. Às vezes, eu me sentia tentada a prestar pouca atenção às suas pequenas necessidades. Você percebia imediatamente. Você sabia se era um momento oportuno para se safar de alguma coisa. Você tentava, ignorando meu alerta preocupado: "Val, não mexa nisso". Você sabia que podia ignorar com segurança porque minha atenção já se havia voltado para meus próprios afazeres. Logo aprendi que precisava lhe dispensar toda a minha atenção ao falar com você. Não quero dizer que lhe dava toda a minha atenção, vinte e quatro horas por dia. Vejo mães que quase chegam a esse ponto, mas que fazem isso em prejuízo de seus pobres, sufocados e atormentados filhos. Quero dizer que, quando um assunto demanda a atenção da mãe, ela deve dispensar-lhe total atenção naquele momento. Eu tinha de deixar meu trabalho de lado e me voltar para você.

Seus olhos se arregalavam quando eu parava o que estava fazendo e olhava para você. Lentamente, muito lentamente, sua mão largava o que quer que estivesse segurando quando eu chamava seu nome. Num momento de pausa e silêncio, você examinava minha seriedade. Ou eu estava falando sério ou não, e não havia como enganá-la. Você sabia do que se tratava e agia de acordo.

Agora, meu trabalho está encerrado. Você é uma mulher, uma mulher de Deus, autônoma diante dele. Mas Deus está longe de terminar seu trabalho disciplinador. Se você o ama, fará o que ele diz. E não haverá dúvida sobre a sinceridade dele se você tão somente olhar para seu rosto e se calar o suficiente para ouvir o que ele diz. "Ele chama pelo nome suas próprias ovelhas." Foi ao ouvir o nome dela que Maria reconheceu seu mestre no jardim, após a ressurreição. "Mestre!", gritou, confessando seu senhorio sobre ela.

O modo como você mantém sua casa e como organiza seu tempo, o cuidado que você dispensa à sua aparência pessoal, aquilo com que você gasta seu dinheiro, tudo isso fala claramente acerca daquilo em que crê. "A sublime beleza de tua paz" brilha em uma vida ordenada. Uma vida desordenada fala claramente acerca de uma desordem na alma.

13
BATALHA DE QUEM?

Ontem à noite, antes de ir para a cama, olhei para o porto e vi que um dos barcos estava aceso. Deveriam estar fazendo algum conserto, pois, hoje pela manhã, o barco se encontra empilhado de armadilhas de lagostas no convés e, embora seja quase meio-dia, permanece ancorado, balançando suavemente ao vento. Pergunto-me quando o pescador sairá ao mar para colocar suas armadilhas. Talvez o vento esteja muito forte.

Três tentilhões roxos, um pardal e um pintarroxo estão ocupados no gramado da frente. Os tentilhões procuram a poça na qual se banham regularmente. Ela secou ao sol. O pardal encontra sementes na grama. O pintarroxo, um macho elegante e bonito, inclina-se para ouvir (é verdade que eles podem realmente ouvir minhocas rastejando?) e, então, mergulha de cabeça no chão, emergindo com uma minhoca que ele puxa, repuxa e, enfim, bica e engole. Uma codorniz-da-virgínia repete incessantemente seu nome no matagal atrás da casa. Há mais rosas silvestres florescendo esta manhã na cerca do outro lado da estrada, tingindo-a de branco e cor-de-rosa vívido.

Você amaria este lugar, eu sei, pois sempre amou sol e ar livre. Mas tenho certeza de que também amará Londres. Só estive lá uma vez, mas me senti cativada e dominada pela solidez do lugar e pelo que só posso chamar de uma grandiosa e nobre elegância. Lá, ela permanece, a mesma Londres após tantos séculos, após o inimaginável bombardeio da Segunda Guerra Mundial, ainda uma cidade forte e orgulhosa. Eu me senti como se a conhecesse havia séculos e estava feliz por voltar a encontrá-la. Talvez hoje esteja frio e chuvoso lá, enquanto o sol brilha intensamente aqui.

Acabo de receber pelos Correios uma revista contendo vários artigos sobre ordenação de mulheres. Os autores têm uma visão menos séria do que a minha quanto ao relato da criação e baseiam a maior parte de seus argumentos na competência das mulheres para fazer o trabalho de um sacerdote ou de um ministro. Esse é um argumento bastante convincente à primeira vista. A igreja precisa de ministros, e as mulheres são boas nisso, então por que não permitir que sejam ordenadas? Os peixes nadam, os pássaros voam, os homens pescam lagostas, os pintarroxos arrancam minhocas de seus seguros túneis subterrâneos, as cidades são erguidas e a civilização avança — tudo isso não faz parte do grande ritmo e da grande harmonia das coisas? Eu creio que o Senhor está no controle. Tenho de crer nisso, mesmo quando penso no que as armadilhas significam para as próprias lagostas, no que o bico mortal do pintarroxo significa para a esforçada minhoca, nos incalculáveis pecados e dores de Londres ou das muitas áreas daquela cidade que não são nada nobres ou elegantes.

O universo se move ao comando de Deus, e os homens e as mulheres estão continuamente sob esse comando; porém, diferentemente dos pintarroxos e das lagostas, foi-lhes dado o poder de desobedecer. Eles são capazes de fazer muitas coisas que não deveriam fazer. A capacidade de fazer algo não é um comando para que isso seja feito. Não é nem mesmo uma permissão. Esse fato simples e tão óbvio no reino físico (sabemos perfeitamente bem que não devemos esmurrar o rosto de alguém, embora, algumas vezes, tenhamos a capacidade e o desejo de fazer isso) é facilmente obscurecido nos reinos intelectual e espiritual. Discernimos em nós mesmos certas propensões ou até mesmo dons e, sem pensar nas possíveis restrições que possam ter sido impostas ao seu uso, começamos a exercê-los. Os resultados podem ser muito mais destrutivos do que esmurrar alguém no rosto. Aqueles homens e mulheres que usaram sua mente, seus talentos e seu gênio para conduzir multidões para o mal fizeram isso usando mentes, talentos e gênios que lhes foram dados por seu Criador. Mas eles não perguntaram o que Deus havia ordenado. Eles não se ofereceram em primeiro lugar a Deus, confiando que ele os direcionaria em relação à esfera apropriada ao exercício desses dons.

Assim, a questão da ordenação envolve muito mais do que competência. Ela não pode ser decidida com base na necessidade da igreja, nos impulsos de um indivíduo ou em qualquer dos argumentos sociológicos ou humanísticos apresentados por aqueles que buscam liberação. Ela envolve coisas muito mais fundamentais e permanentes, e uma delas é o significado da feminilidade.

Temos algo a que reagir, algo que nos dirige, que nos chama e nos mantém; e é em obediência a esse comando que encontraremos nossa liberdade plena.

14
LIBERDADE ATRAVÉS DA DISCIPLINA

Sentada aqui na janela deste chalé, posso avistar um veleiro deslizando silenciosamente no horizonte. É um belo retrato da liberdade. Mas a liberdade que o veleiro tem de se mover com tamanhas rapidez e beleza é o resultado da obediência a leis. O construtor do barco precisava saber a proporção adequada entre a largura do casco e o tamanho da quilha e do mastro. Quem conduz o barco obedece às regras de navegação. Um navio rumando contra o vento se move tortuosamente, mas, ao seguir na direção da correnteza ou de um vento favorável, ele toma para si a força da maré e do vento, e eles se tornam seus. Ele está fazendo aquilo para o que foi criado. Ele não é livre quando desobedece às regras, mas ao obedecer a elas.

As rodovias modernas costumam ser chamadas de vias expressas [*freeways* no original, que quer dizer caminhos livres em português], mas quanta liberdade de movimento haveria se cada motorista fosse encorajado a escolher qualquer velocidade, qualquer pista e qualquer direção que porventura atraísse sua imaginação no momento?

Observei, no parque Boston Common, uma placa dizendo "Favor", que o público deveria entender como uma abreviação de "Favor não pisar na grama". Quase todo mundo obedecia àquele sinal e, por isso, ainda havia alguma grama. Mas algumas pessoas estavam sentadas na grama, desafiando o sinal. A liberdade delas de se sentar na grama, e não na terra nua, dependia do fato de a maioria se haver privado desse privilégio. A maioria havia escolhido permitir o crescimento da grama. Essa escolha implicava restrição, a disposição de caminhar apenas pelas calçadas. Implicava *não* fazer o que se queria com vistas a ter algo que se queria ainda mais. A liberdade de poucos fora comprada com o sacrifício de muitos.

Você e eu conversamos sobre como estudantes universitários concebem a ideia de liberdade em seus dormitórios. Eles não querem regras sobre luzes apagadas, horários de entrada e saída ou volume de som. Consequentemente, essa liberdade de manter as luzes acesas até altas horas, de ficar fora a maior parte da noite e de ouvir música durante a madrugada significa que não há liberdade para dormir, tampouco para estudar, o que significa que os estudantes não são mais livres para ser estudantes — exatamente aquilo que eles vieram fazer na faculdade e pelo que pagaram quinze mil dólares.

Esse é o cerne da questão da liberdade, da liberação. Significa abandonar todas as restrições? (Acaso um navio poderia navegar sem as restrições?) Significa fazer o que temos vontade de fazer e não fazer o que não queremos fazer? Significa disciplina. Significa fazer o que fomos criadas para fazer. Para o que somos chamadas, nós, mulheres de Deus?

15
DEUS NÃO PÕE ARMADILHAS

Somos chamadas a ser mulheres. O fato de eu ser mulher não me torna um tipo diferente de cristão, mas o fato de eu ser cristã me torna um tipo diferente de mulher. Afinal, aceitei a ideia que Deus tem a meu respeito, e toda a minha vida consiste em lhe oferecer de volta tudo o que sou e tudo o que ele quer que eu seja.

Ruth Benedict, uma das primeiras mulheres reconhecidas como uma importante cientista social, escreveu em seu diário, em 1912:

> Parece-me uma coisa terrível ser mulher. Há uma única coroa que talvez faça valer a pena — um grande amor, um lar tranquilo e filhos. [Seu casamento com Stanley Benedict, sem filhos, terminou em divórcio.] Todas nós sabemos que isso é tudo que vale a pena e que, para isso, devemos nos esforçar, anunciando nossos artigos no mercado, se tivermos dinheiro, ou fabricando carreiras para nós

mesmas, se não tivermos. Não temos motivo para nos preparar para uma vida inteira de trabalho no ensino ou em obras sociais — sabemos que, mesmo no auge de nosso sucesso, desistiríamos daquilo com brados de aleluia, em troca de construir um lar com o homem certo. E, durante todo o tempo, no fundo de nossa consciência, ressoa o aviso de que talvez o homem certo nunca chegue. Um grande amor é dado a pouquíssimas mulheres. Afinal, talvez esse emprego temporário e improvisado *seja* o trabalho de nossa vida.[9]

A Sra. Benedict expressou com franqueza o que milhares de mulheres com carreiras profissionais certamente devem sentir; hoje, porém, poucas teriam a coragem de admitir tais sentimentos, uma vez que muitos consideram, de alguma forma, a mulher que tem uma carreira superior àquela cuja ocupação é descrita meramente como "dona de casa". Qualquer emprego de tempo integral — não importa quão rotineiro, monótono ou enfadonho — é elevado pelas feministas a um status superior ao de ser esposa e mãe, como se o trabalho de esposa e mãe fosse mais degradante, mais enfadonho, menos criativo e emocionante, ou como se desse menos lugar à imaginação do que ser uma advogada ou aparafusar

---

9 Margaret Mead, *Anthropologist at Work* (New York: Houghton-Mifflin, 1959), 120. Citado na resenha da Sra. Mead ao seu livro *Ruth Benedict*, na revista *New Yorker* (3 fev. 1975).

peças numa linha de montagem. (Sem dúvida, as feministas quase sempre contrapõem o trabalho doméstico a empregos de prestígio, em vez de empregos na linha de montagem, ignorando o fato de que poucas mulheres entre aquelas a quem elas gostariam de "liberar" acabariam em empregos de prestígio.)

Recentemente, encontrei uma notícia de jornal sobre novas expectativas de emprego para mulheres que ingressam no exército. Elas já não se limitam mais a ser secretárias, enfermeiras ou assistentes de homens. Em pelo menos um centro de treinamento militar, elas têm sido promovidas a dobradoras de paraquedas. Dobradoras de paraquedas!

Receio que esse seja um exemplo no qual a grama do vizinho sempre parece mais verde. Quantas delas tiveram a chance de fazer uma comparação justa?

Contudo, para a mulher cristã, seja ela casada ou solteira, há o chamado para servir. Recentemente, uma revista noticiou um curso oferecido para mulheres adultas sobre "comportamento assertivo" — o que, de acordo com os exemplos descritos, equivalia a um curso de grosserias. Uma aula, por exemplo, encorajava as mulheres a se libertar da "armadilha da compaixão". Em resposta a esse artigo, um leitor escreveu: "Não consigo entender por que uma mulher se oporia a fazer parte da 'armadilha da compaixão' — a necessidade de servir a outrem e prover ternura e compaixão em todos os momentos. O que nossa sociedade precisa é de mais ênfase na necessidade de servir aos outros e prover ternura, compaixão, cooperação e amor".

Porém, Deus não prepara armadilhas para nós. Pelo contrário, ele nos convoca à única liberdade verdadeira e plena. A mulher que define sua liberação como "fazer o que quer" ou "não fazer o que não quer" está, antes de tudo, fugindo da responsabilidade. Fugir da responsabilidade é a marca da imaturidade. E parece que o Movimento de Liberação Feminina se caracteriza justamente por essa imaturidade. Embora digam a si mesmas que fizeram muito progresso e que estão chegando à maioridade, elas, na verdade, retrocederam a uma humanidade parcial que se recusa a reconhecer as vastas implicações da diferenciação sexual. (Não digo que elas sempre tenham ignorado a diferenciação sexual em si, mas que as *implicações* dessa diferenciação lhes escapam inteiramente.) E, de modo irônico, a mulher que ignora essa verdade fundamental perde exatamente aquilo que se propôs a encontrar. Ao se recusar a cumprir por completo a vocação feminina, ela se contenta com uma caricatura, uma falsa personalidade.

16
UM PRINCÍPIO PARADOXAL

Você e eu conhecemos, pessoalmente ou por meio de seus escritos, algumas grandes mulheres solteiras cujas vidas foram ricas e frutíferas porque elas entenderam um princípio espiritual paradoxal: "Se abrires a tua alma ao faminto e fartares a alma aflita, então, a tua luz nascerá nas trevas, e a tua escuridão será como o meio-dia. O Senhor te guiará continuamente, fartará a tua alma de coisas boas e fortificará os teus ossos; serás como um jardim regado e como um manancial cujas águas jamais faltam. Tuas antigas ruínas serão reedificadas; levantarás os fundamentos de muitas gerações e serás chamado reparador de brechas e restaurador de veredas para morar" (Is 58.10-12, tradução livre; em vez de "veredas para morar", uma versão em língua inglesa diz "caminhos que conduzem ao lar").

Creio que aqui está a resposta à esterilidade de uma vida como mulher solteira, ou de uma vida que, de alguma outra maneira, pudesse ser egoísta ou solitária. Descobri que é também a resposta para a depressão. Você receberá luz em troca de abrir sua alma aos famintos; receberá direção, a satisfação de seus anseios e a força quando "abrir sua alma", quando sua própria preocupação consistir em satisfazer o desejo de outrem; você mesma será uma fonte de refrigério, uma edificadora, alguém que conduz outras pessoas à cura e ao descanso numa época em que tudo ao seu redor parece haver desmoronado.

Missionária na Índia, Amy Carmichael nunca se casou, embora, em sua biografia, existam pistas discretas de que ela teve de fazer uma escolha e que lhe foi extremamente doloroso tomar uma cruz que significava deixar um homem para sempre. A vida dela, porém, foi um jardim regado para as centenas de crianças indianas que estiveram sob seus cuidados e para os milhares de leitores de seus livros.

Missionária na Colômbia e viúva desde quando suas quatro filhas eram bem pequenas, Katherine Morgan nos mostrou — por sua exuberância e humor, por seu coração generoso e caloroso, e por sua energia impressionante — a força que vem de se dedicar uma vida inteira ao bem de outrem. Sua casa está cheia de pessoas que precisam dela. Ela dirige uma caminhonete por toda a cidade de Pasto, fazendo pelos outros o que não podem fazer por si mesmos. Ela vai à selva — de mula, de canoa ou a pé — para ministrar a pessoas que se encontram distantes de outras fontes de ajuda. Quando está nos Estados Unidos, ela nos visita e ministra para nós, embora não esteja consciente de estar ministrando. Nossa casa é abençoada e nós mesmas somos animadas e fortalecidas pelo fato de ela ter estado aqui. Ela está sempre sem fôlego — fala tão rápido que mal tem tempo de respirar. Ela é sempre engraçada e nos faz chorar de tanto rir ao imitar uma personagem em uma história. Com frequência, eu a importunava por ela dizer: "A vida é curta demais", quando queria convencê-la a fazer algo que eu achava que ela deveria fazer. O fato, porém, é que, para Katherine, a vida é curta demais para ela se preocupar consigo. Ela nunca está ocupada demais para se preocupar com o restante de nós.

Você não viverá na solteirice, mas sua vida como esposa de pastor lhe dará amplas oportunidades para provar o princípio estabelecido nas palavras de Isaías. Você derramará sua alma aos famintos, e as pessoas presumirão que você é um manancial cujas águas jamais faltam, mas haverá momentos em que você se sentirá cansada de se derramar. Seu padrasto me contou que foi procurado por uma senhora, consternada com tudo o que se esperava dela. "Eu trabalho até os ossos por essa igreja, e que tipo de agradecimento recebo?", lamentou. "Bem", retrucou ele, "que tipo de agradecimento você esperava receber?".

Santo Inácio de Loyola orou: "Ensina-nos, bom Senhor, a te servir como mereces; a dar sem calcular o custo; a lutar sem considerar as feridas; a labutar sem procurar descanso; a trabalhar sem pedir recompensa alguma, exceto a de saber que fazemos a tua vontade. Por meio de Jesus Cristo, nosso Senhor".

17
MASCULINO E FEMININO

Será que as mulheres liberacionistas querem a liberação de ser mulheres? Não, responderiam; elas querem liberação dos estereótipos da sociedade sobre o que as mulheres deveriam ser. De acordo com seus teóricos, não existem diferenças fundamentais entre homens e mulheres. É tudo uma questão de condicionamento. Mas alguns cientistas descobriram fatos muito interessantes que as feministas terão de encarar com bastante cuidado, pois mostram que não é apenas a sociedade que determina como os sexos hão de se comportar. Existem fortes razões biológicas (uma questão de hormônios) para o homem sempre haver dominado e continuar a dominar todas as sociedades. Descobri que a ideia de matriarcado é mítica, pois não se pode documentar sua existência em lugar algum. Se a dominação masculina é puro condicionamento social, não parece estranho que seja universal? O esperado seria encontrar ao menos alguns exemplos de sociedades em que as mulheres, em vez dos homens, ocupassem as posições de status mais elevado. (A existência de rainhas nada prova, uma vez que elas adquirem essa posição por herança, e não por conquista, escolha ou eleição.) Não é muito mais fácil crer que os sentimentos de homens e mulheres ao longo da história têm relação direta com alguma precondição inata? Para um cientista, essa precondição pode ser biológica e/ou emocional (para algumas mulheres, a mínima sugestão de que possa haver uma diferença emocional e física entre homens e mulheres é horripilante). Para mim e para você, porém, a precondição se encontra mais atrás.

Foi Deus quem nos criou diferentes, e ele fez isso intencionalmente. As recentes descobertas científicas são esclarecedoras e, como já aconteceu antes, corroboram verdades antigas que a humanidade sempre reconheceu. Deus criou o homem e a mulher; o homem, para convocar, liderar, ter iniciativa e governar; e a mulher, para responder, seguir, ajustar-se e submeter-se. Ainda que defendêssemos outra teoria sobre as origens, a estrutura física da fêmea nos diria que a mulher foi feita para receber, carregar, ser guiada, complementar, nutrir.

Há, na maioria das discussões "feministas", uma omissão fundamental e, para mim, bastante intrigante — a omissão de falar sobre feminilidade. Talvez seja porque os elementos de governo, submissão e união sejam parte integrante da própria feminilidade, de importância muito mais duradoura e universal do que qualquer noção culturalmente definida. O ponto de partida para se chegar a isso é, obviamente, o próprio corpo.

Um ser humano compõe-se de corpo, mente e espírito. Qualquer médico atestará o efeito que a mente pode ter sobre o corpo. Qualquer psiquiatra sabe que os problemas psicológicos de seu paciente podem ter efeitos físicos. Qualquer pastor admite que o que parece ser uma questão espiritual pode acabar apresentando dimensões físicas e mentais também. Ninguém consegue definir os limites entre mente, corpo e espírito. No entanto, hoje em dia, somos instados a presumir que a sexualidade, a mais potente e inegável de todas as características humanas, é uma questão puramente física, sem nenhuma implicação metafísica.

Algumas das primeiras heresias que atormentaram a igreja exortavam os cristãos a desprezar a matéria. Alguns diziam que ela era maligna em si mesma. Alguns negavam até mesmo sua existência. Alguns reputavam que apenas a natureza espiritual do homem era digna de atenção — o corpo deveria ser totalmente ignorado. Mas isso é algo perigoso, essa departamentalização. A Bíblia nos manda trazer tudo — corpo, mente, espírito — cativo à obediência.

Seu corpo é de mulher. O que isso significa? Haverá um significado invisível em seus sinais visíveis — a maciez, a suavidade, a estrutura óssea e muscular mais leve, os seios, o útero? Será que isso, como um todo, não tem relação com o que você mesma é? Será que sua identidade não está intimamente ligada a essas formas materiais? Será que sua ideia de si — Valerie — contém a ideia de, digamos, "robustez" ou "aspereza"? Como podemos desprezar a matéria em nossa busca por compreender a personalidade? Naqueles que fazem isso, há uma estranha irrealidade, uma indisposição para lidar com os fatos mais óbvios de todos.

Toda mulher saudável está equipada para ser mãe. Certamente, nem todas as mulheres no mundo estão destinadas a fazer uso do equipamento físico, mas, sem dúvida, a maternidade, em um sentido mais profundo, é a essência da feminilidade. O corpo de toda mulher saudável se prepara, repetidas vezes, para receber e carregar. A maternidade requer entrega, sacrifício, sofrimento. É descer à morte para dar vida, uma bela analogia humana de um grande princípio espiritual (Paulo escreveu: "Em nós, opera a morte, mas, em vós, a vida"). A feminilidade é um chamado. É uma vocação à qual atendemos em Deus, com alegria, se significar a geração literal de filhos, mas também somos gratas por tudo que ela significa em um sentido muito mais amplo, o sentido de que toda mulher pode participar, seja casada ou solteira, fecunda ou estéril — a resposta incondicional exemplificada de uma vez por todas em Maria, a virgem, e a vontade de entrar no sofrimento, de receber, de carregar, de dar vida, de nutrir e de cuidar dos outros. A força para responder a esse chamado nos é dada quando olhamos para o alto, para o Amor que nos criou, lembrando que foi esse Amor — o qual em primeiro lugar e mais literalmente *imaginou* a sexualidade — quem nos fez, desde o início, verdadeiros homens e verdadeiras mulheres. E, à medida que vamos nos conformando às exigências desse Amor, tornamo-nos cada vez mais humildes, mais dependentes — dele e uns dos outros — e até mesmo (ousarei dizer isso?) mais esplêndidas.

18
A ALMA É FEMININA

Ainda é manhã, bem cedo, quando me sento à minha máquina de escrever, embora eu já tenha ido de bicicleta até a estação da Guarda Costeira, já tenha visto trinta e um coelhos e dois veados, e já tenha pago para ver, através de uma luneta, o casco enferrujado do petroleiro Pendleton, que naufragou em 1952. A maré está baixa. Os pescadores de vôngole estão nas salinas do outro lado do porto com seus rastelos, e uma escuna acaba de ser rebocada. O vento forte do dia anterior diminuiu e o porto está calmo, o ar parado e quente.

Vento, clima e marés cumprem a palavra de Deus. Traz-nos tranquilidade e firmeza saber que também existe uma palavra para nós. O Salmo 144.12 diz: "[Que nossas filhas sejam] como pedras angulares, lavradas como colunas de palácio". Pilares sustentam e apoiam. Esse é o lugar de uma mulher; e todas nós precisamos saber qual é nosso lugar e ser colocadas nele. A ordem de Deus nos coloca no lugar ao qual pertencemos. Conhecemos nossa condição de criatura, nossa dependência. Se há um mandado para nós, sabemos que somos reconhecidas. Sabemos que nos encaixamos no universo de Deus, que entendemos nossa relação com o restante da humanidade, com a família e, se tivermos um, com nosso marido. Mansidão, creio, é o reconhecimento desse lugar. A Bíblia nos diz que Moisés era um homem "mui manso". Eu não penso nele como alguém nem um pouco manso no sentido popular — tímido, desinteressado, sem cor. Longe disso. Ser manso, porém, é ter uma percepção sã e adequada de seu lugar no esquema das coisas. É um senso de proporção.

Assim como um pilar é cortado e moldado para caber em determinado lugar e carregar um peso específico, é diferenciado e limitado por esse corte e essa modelagem. É a própria diferenciação e limitação que esse pilar tem a oferecer. Assim é conosco. Fomos cortadas em determinado tamanho e moldadas para cumprir determinada função. E é essa função, não aquela. É a contribuição de uma mulher, e não de um homem, que temos para dar.

Maria é o arquétipo da entrega humana. Quando lhe falaram do incrível privilégio que ela teria como mãe do Altíssimo, sua resposta foi de total aceitação. "Aqui está a serva do Senhor; que se cumpra em mim conforme a tua palavra" (Lc 1.38). Ela poderia ter hesitado por não querer passar a vida sendo conhecida apenas como a mãe de alguém. Ela poderia ter tido seus próprios sonhos de realização. Mas ela aceitou imediatamente a vontade de

Deus. "Que se cumpra em mim", essa deve ser a resposta de cada homem ou de cada mulher a essa vontade, e é nesse sentido que a alma e a Igreja têm sido vistas ao longo da história cristã como femininas diante de Deus, pois é da natureza da mulher o submeter-se.

19
A SUBMISSÃO É SUFOCANTE?

Será que uma mulher submissa não faz nada além de se submeter? É uma pena que as questões levantadas pelo movimento de liberação tenham conduzido à fabricação de falsas antíteses. É uma velha tática política que, a princípio, parece fortalecer a defesa de um lado contra o outro, mas, em última análise, é autodestrutiva. O correio acaba de chegar, trazendo uma carta que ilustra essa confusão.

Você estava presente quando, há pouco tempo, falei à sociedade honorífica de sua faculdade sobre "Uma visão cristã da liberação". A faculdade me encaminhou o protesto de uma ex-aluna:

> É inacreditável que uma palestrante tenha sido convidada, na época em que vivemos, para dizer a mulheres que acabaram de ser escolhidas como as mais academicamente dotadas em toda a classe de formandos que a maior realização delas está em se sujeitar a um homem no casamento. Teria sido

impensável mesmo um século atrás! Por que essa faculdade educa mulheres, se o principal chamado delas é a maternidade? Como se as mulheres intelectuais já não enfrentassem dificuldades o bastante no mundo cristão! Elas precisam ser incentivadas, e não sufocadas. Pessoalmente, sempre considerei inspiradoras as efetivas realizações (da palestrante). Porém, quando a retórica dela contradiz tudo isso, ela se torna, na melhor das hipóteses, um modelo ambíguo para aquelas de nós que já percorremos boa parte do caminho. Para formandas que estão apenas começando nessa estrada, ela pode ser seriamente perturbadora.

Em protesto, a autora dessa carta reteve sua costumeira contribuição anual e acrescentou que considerava "particularmente inapropriada" a escolha de tal oradora.

Nunca havia pensado em mim mesma como "um modelo ambíguo". Acho que nunca havia pensado em mim mesma como qualquer tipo de modelo. Será que minha retórica contradiz minhas realizações? Será que algo no que eu digo sufoca "as mulheres intelectuais no mundo cristão"?

Esforcei-me para refletir sobre tais acusações. Suponho que eu seria um "modelo ambíguo" se uma mãe não devesse escrever livros, se uma esposa submissa nunca pudesse ser convidada a falar em uma tribuna de faculdade ou se nenhuma formanda de universidade devesse amar o trabalho doméstico.

Acaso é minha retórica ou a retórica dessa senhora (que tem escrito e falado sobre a igualdade dos sexos) que contradiz minhas "realizações"? Se eu disse que a maior realização de uma mulher se encontra em se sujeitar a um homem no casamento, estava me referindo, é claro, à mulher a quem Deus concedeu a dádiva do casamento. Sua maior realização será encontrada na obediência a esse chamado. Eu, que tive esse dom, assim como o dom de ser sua mãe, não encontro dificuldade alguma em dizer que meu mais profundo senso de "realização", minhas maiores alegrias humanas, estão em ser esposa e mãe.

Isso não é negar ou menosprezar os outros dons que Deus concedeu. Fui chamada a ser missionária e a escrever, mas certamente nada há de incompatível entre tais tarefas e o reconhecimento do fato fundamental de que a mulher foi feita para o homem. A ideia não foi minha, afinal — tirei tudo do Livro!

As mulheres "intelectuais" que se sentem sufocadas pelo que eu digo ainda não compreenderam o sentido bíblico da liberdade. O serviço a Deus é, como diz nosso Livro de Oração, "perfeita liberdade".

A ideia daquela senhora, de que as mães não precisam de uma educação universitária, me desanima. De que adianta, pergunta ela, essa faculdade educar mulheres?

Certamente é para *extrair* (a raiz do significado da palavra *educar*) os dons que Deus concedeu, quaisquer que sejam. Eu certamente não a mandei para a faculdade achando que você não se casaria. Estou convencida de que uma educação liberal cristã a tornará uma esposa e mãe melhor, se essa for a vontade de Deus para você. Se você fosse chamada para ser uma auditora fiscal ou uma filósofa, eu também gostaria que você tivesse o mesmo tipo de educação.

20
VINTE PERGUNTAS

Há uma grande distância entre reconhecer um Logos, uma Palavra Eterna que fala e sob a qual vivemos, e o destino específico ao qual você mesma é chamada como mulher individual. No entanto, o Deus que controla o movimento das galáxias e que falou antes da fundação do mundo só pode ser o mesmo Deus que tem a menor circunstância de nossas vidas em suas mãos. De todos os lados, estamos cercadas pelo Todo-Poderoso. "As suas misericórdias são *sobre* todas as suas obras" (Sl 145.9, ARC); "aquele que confia no Senhor, a misericórdia o *cercará*" (Sl 32.10, ARC) e *"por baixo* de ti, estende os braços eternos" (Dt 33.27). Sobre, ao redor, por baixo. Estamos envolvidas. Você consegue pensar em um lugar mais seguro para alguém estar? Mesmo assim, Deus não nos coage a fazer sua vontade. Ele nos deu livre escolha e é nessa liberdade que você e Walt escolheram casar-se. Você respondeu às perguntas que eu lhe fiz um ano atrás, quando você estava tentando discernir e compreender seus sentimentos.

(Eles ficaram muito claros para mim quando vi seu rosto radiante ao correr do correio para o carro, acenando com uma carta dele nas mãos.)

Estas foram as perguntas:

1. É este o homem com quem você quer passar o resto da vida? Isso significa todos os dias de todas as semanas de todos os meses de todos os anos, desde o presente momento até a morte de um de vocês.
2. Ele é pontual ou habitualmente atrasado? Organizado ou bagunçado? Gosta de ler ou de assistir à televisão? Gosta de praticar atividades ao ar livre ou prefere estar dentro de casa?
3. Ele gosta da sua família? Ele a trata como você acha que uma mulher deve ser tratada? Tem amigos homens? Tem relativamente a mesma educação que você tem? Gosta do tipo de comida que você gosta de cozinhar? Vem de um lar parecido com o seu? Gosta de seus amigos? Gosta de receber pessoas e a deixaria orgulhosa de tê-lo como anfitrião do outro lado da mesa? Ri das mesmas piadas que você?
4. Vocês conseguem concordar a respeito de sexo? Sogros? Crianças? Educação? Dinheiro? As respectivas funções de cada um no lar?

Você enfrentou todas essas questões e as importantes áreas de preocupação para as quais apontam. Deixe-me esclarecer: eu já conheci casais felizes, com um dos cônjuges sendo mais caseiro e o outro apreciando estar ao ar livre, ou um é pontual e o outro, atrasado; mas isso exige uma medida peculiar de graça e é bom considerar com antecedência se você acha ou não que vai valer a pena. Então, mais tarde, quando você tiver de lidar com a situação, lembre-se de que vale a pena!

Você sabe que eu não insisto que todas as perguntas do item 3 devam, necessariamente, ter uma resposta afirmativa para que seu casamento seja bem-sucedido. E, claro, a concordância acerca das questões do item 4 só pode ser em tese, até que vocês tenham a chance de lidar com elas como marido e mulher. Não há como ter uma sessão de treino em relação a elas. Princípios profundos e subjacentes, que formam o alicerce de sua vida, determinarão a educação dos filhos e a forma como vocês tratarão seus sogros. Assim que você começar a discutir os itens da lista, estará discutindo religião, pois "todos os nossos problemas são de natureza teológica".

Como vocês podem concordar a respeito de sexo, a menos que concordem quanto à moralidade? Se moralidade é apenas uma questão de gosto ou de tolerância comunitária, seu alicerce muda constantemente. Se tem a Palavra como alicerce, é inabalável.

Como vocês podem concordar a respeito dos sogros se não conhecem a lei do amor em 1Coríntios 13?

Decisões sobre se e quando ter filhos precisam ser tomadas sob a direção de Deus.

O modo como vocês lidam com dinheiro dependerá de quem é o dono dele em primeiro lugar (Deus ou vocês?) e do que é importante para vocês.

O compromisso mútuo com uma crença comum é a única base sólida para uma comunhão duradoura, no casamento ou em qualquer outro relacionamento. Nada menos que isso poderá resistir ao teste da vida.

21
UMA ESCOLHA
É UMA LIMITAÇÃO

Em sua carta mais recente para mim, escrita logo depois de se despedir de Walt, você disse: "Ah, mamãe, está ficando cada vez melhor!". Falou da paz e do contentamento absolutos que experimenta quando está com ele. Podemos crer que Deus respondeu às nossas orações — por anos a fio, a minha foi: "Guarda-a do homem e para o homem com quem ela há de se casar" ("do homem" significava: até o tempo designado por Deus, para que você não tomasse a frente da vontade divina); e a sua, para ser guiada ao homem designado por Deus.

E, assim, você usa a aliança que ele deu. Tertuliano menciona o antigo costume de usar uma aliança de ouro no quarto dedo porque se acreditava que uma veia corria desse dedo diretamente para o coração. Permitia-se que uma mulher usasse ouro apenas ali, na promessa de casamento. Na liturgia medieval, a aliança era colocada primeiro no polegar, "em nome do Pai", depois no dedo indicador, "em nome do Filho", no dedo médio, "em nome do Espírito Santo", e no dedo anelar com o "amém".

Quando a aliança de casamento for colocada em seu dedo, você terá finalmente selado sua escolha. É esse homem, e somente esse, a quem você escolheu "enquanto ambos viverem". Muitas revisões e improvisações têm sido feitas nos casamentos modernos, algumas na crença de que palavras escritas pelos próprios noivos devem ser sempre preferidas às velhas palavras, escritas por alguém que sabia escrever, por serem mais "sinceras", "significativas" ou "honestas" — como se a repetição de palavras de outrem, palavras provavelmente mais claras e belas do que a maioria de nós jamais poderia ter escrito, não pudesse ser sincera. Em uma dessas improvisações, a frase "enquanto ambos viverem" foi mudada para "enquanto ambos se amarem". Isso retira o cerne do significado mais profundo do casamento. É um voto que você está fazendo diante de Deus e das testemunhas, um voto que você manterá pela graça de Deus, que não depende de seu humor, de seu sentimento ou de "como as coisas vão se sair". Como outros já disseram, não é o amor que preserva o casamento; é o casamento que preserva o amor.

Quando você faz uma escolha, aceita as limitações dessa escolha. Aceitar a limitação requer maturidade. Uma criança ainda não aprendeu que não pode ter tudo. Ela quer tudo que vê. Quando não consegue, grita. Ela precisa crescer para perceber que dizer "sim" à felicidade geralmente significa dizer "não" a si mesma.

Lembre-se do homem orgulhoso de Dinesen: "Ele não se esforça para obter uma felicidade ou um conforto que possam ser irrelevantes para a ideia que Deus tem a seu respeito". Escolher fazer isso é escolher deixar de fazer outras mil coisas. Aqueles que a si mesmos se fizeram eunucos por causa do reino de Deus, de quem Jesus fala em Mateus 19.12, tiveram de aceitar as limitações radicais impostas pelo fato de serem eunucos. Aqueles que se casam, disse Paulo, sofrerão angústia na carne. Talvez ele sentisse que essa afirmação era indiscutível, que tais angústias eram óbvias a qualquer um, mas não mencionou as angústias da carne eventualmente enfrentadas por quem não se casa. Talvez Paulo as sentisse na própria pele e, por isso, não desejasse falar a esse respeito.

No ano passado, houve um simpósio de alunas do seminário. Nele, uma mulher reclamou que todo o currículo do seminário se baseava na presunção de que os alunos eram homens. A alegação não era precisa, mas, mesmo que fosse, uma mulher que escolhe entrar no seminário deveria saber de antemão que os alunos seriam majoritariamente homens e que o currículo naturalmente enfatizaria isso. Ela deveria preparar-se para estar em minoria e aceitar as limitações impostas por isso. O bom senso lhe diria isso. Pensei em John Sanders, um ex-aluno do seminário que era cego. Jamais ouvi John reclamar porque o mundo inteiro funciona como se todos pudessem ver. É claro que o mundo funciona dessa forma. A maioria das pessoas enxerga. John aceita isso como algo natural, nunca reclama nem menciona sua cegueira, e constrói seu próprio caminho apesar das impossíveis limitações (para nós) de sua vida.

Você deve lembrar-se de Betty Greene, uma das fundadoras da Missionary Aviation Fellowship [Fraternidade de Aviação Missionária], uma mulher que já pilotou todo tipo de avião, exceto um jato. Ela até mesmo transportou bombardeiros durante a Segunda Guerra Mundial, mas você ficou surpresa por ela não "parecer piloto". Ninguém mais achava que ela parecesse e, muitas vezes, quando ela pousava em alguma base aérea estrangeira, as autoridades ficavam perplexas ao ver uma mulher saindo do avião. "Você voa nesses aviões *sozinha*?", perguntavam-lhe com frequência. Porém, muito tempo antes, Betty havia decidido que, se ela queria fazer seu caminho no mundo dos homens, precisava ser uma dama. Ela teria de competir com homens para ser piloto, mas não competiria com os homens para ser homem. Ela se recusou, de todas as maneiras, a tentar agir como um homem.

É um tipo ingênuo de feminismo aquele que insiste no fato de que as mulheres devem provar sua capacidade de fazer tudo aquilo que os homens fazem. Trata-se de uma distorção e de uma farsa. Os homens nunca tentaram provar que podem fazer tudo que as mulheres fazem. Por que sujeitar as mulheres a critérios puramente masculinos? A mulher pode e deve ser julgada pelos critérios de feminilidade, pois é em sua feminilidade que ela participa da raça humana. E a feminilidade tem suas limitações, assim como a masculinidade. É disso que estamos falando. Fazer isso é não fazer aquilo. Ser isso é não ser aquilo. Ser mulher é não ser homem. Estar casada é não estar solteira — o que pode significar não seguir uma carreira. Casar-se com esse homem é não se casar com todos os outros. Uma escolha é uma limitação.

22
COMPROMISSO, GRATIDÃO, DEPENDÊNCIA

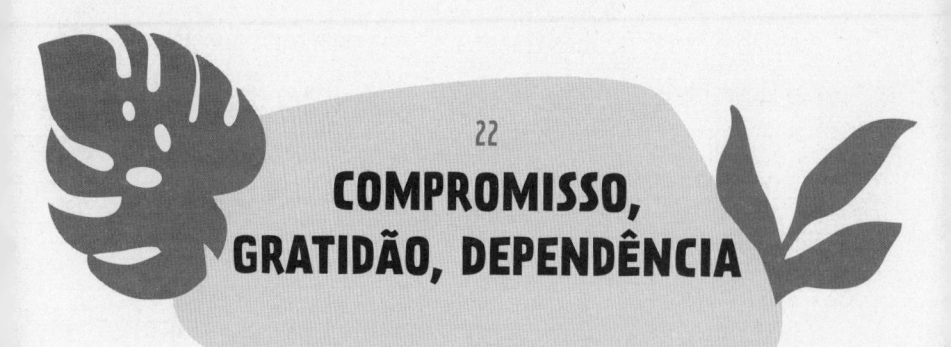

Karl Barth, em seu esplêndido tratado sobre homem e mulher na *Dogmática eclesiástica*, define o casamento como "a forma de encontro entre masculino e feminino em que a escolha livre, mútua e harmoniosa do amor por parte de determinado homem e de determinada mulher conduz à assunção responsável de uma união vital que é duradoura, completa e exclusiva. É o *telos*, o objetivo e o centro do relacionamento entre homem e mulher. A esfera do masculino e do feminino é mais ampla que a do casamento, abrangendo todo o complexo de relações em cujo centro o casamento se faz possível".[10]

Que contraste com as conexões casuais formadas entre jovens casais que, ao buscarem ser "livres", prescindiram da assunção responsável dessa união vital! A união deles não se responsabiliza por ninguém; não é duradoura, nem completa, tampouco exclusiva e, como

---
10 Karl Barth, *Church Dogmatics* (British Book Centre), vol. III, *The Doctrine of Creation*.

tal, não é capaz de lhes trazer a alegria pela qual anseiam tão desesperadamente. Todas as alternativas foram experimentadas e nenhuma produziu o que prometeu. Nenhum "experimento" de matrimônio tem qualquer validade, por lhe faltar o ingrediente essencial do compromisso total e irrevogável.

Como eles podem experimentar compromisso um com o outro se não assumiram um compromisso mais elevado? Graças a Deus pela lealdade que vocês têm não apenas um ao outro, pela lealdade mais elevada que você e Walt compartilham — a lealdade a Deus, cujo chamado vocês ouviram. Essa é uma base sólida para o casamento.

Não se engane, porém. Muitos casais compartilharam essa lealdade (conheço alguns que não compartilham quase nada além disso) e descobriram que seu casamento estava longe de ser ideal. Enquanto estivermos "na carne", teremos angústias na carne. Mas Deus conhece o propósito do coração. Ele vê a direção que um casal toma ao decidir buscar "as coisas lá do alto". Há uma enorme diferença entre aqueles que procuram apenas sua própria felicidade neste mundo e aqueles que sabem que sua verdadeira felicidade está na vontade de Deus.

Estes, quando enfrentam angústias, sabem para onde se voltar, pois sabem que ainda estão debaixo do controle de Deus e que não se encontram abandonados. Eles *sabem* que são insuficientes em si mesmos, que o amor humano falha e que nunca haverá um ponto no qual eles poderão dizer que alcançaram a perfeição e que não precisam mais da graça.

Você sabe, estou certa, que seu amor é uma dádiva. E, se é uma dádiva, você é grata ao Doador. Reconhecer sua gratidão a Deus é também reconhecer sua dependência dele; é reconhecer, acima de tudo, a autoridade de Cristo. Esse é um bom lugar para começar um casamento.

23
VOCÊ SE CASA COM UM PECADOR

Nos últimos anos, tenho conversado sobre casamento com mulheres da faculdade e do seminário. O mesmo que tenho dito a elas digo agora a você. Em síntese, são três pontos em forma de três perguntas:

1. Com quem você casa?
2. O que é o casamento?
3. O que faz o casamento dar certo?

Em primeiro lugar, com quem você se casa? Você se casa com um pecador. Não há mais ninguém com quem se casar. Isso deveria ser algo bastante óbvio, mas, quando se ama um homem como você ama o seu, é fácil esquecer. Você esquece por algum tempo e então, quando algo acontece que a faz lembrar, você fica se perguntando qual é o problema, como isso pode ter acontecido, onde foi que tudo deu errado. Deu errado no Jardim do Éden. Entenda isto de uma vez por todas: seu marido é filho de Adão. Aceitá-lo

— aceitá-lo por inteiro — inclui aceitar o fato de que ele é um pecador. Ele é uma criatura caída e, como tal, necessita do mesmo tipo de redenção que todos nós precisamos e está sujeito a todas as tentações "comuns aos homens". Nossa velha amiga Dorothy me ensinou muitas coisas em sua longa vida de confiança em Deus e aguçada percepção da humanidade. Certo dia, enquanto conversávamos sobre amizade e casamento, ela disse: "Bem, querida, nenhuma de nós é um pacote premiado. Limite-se a procurar o essencial e esqueça o resto!". Quando achamos que encontramos o pacote premiado, ele provavelmente conterá algumas surpresas, e nem todas são bem-vindas. Quanto desgosto seria evitado se nos concentrássemos no essencial e esquecêssemos o resto! Quão melhor poderíamos relaxar um com o outro e desfrutar tudo que há para desfrutar!

Na liturgia da oração matutina, repetimos de joelhos a seguinte confissão: "Nós erramos e nos desviamos como ovelhas perdidas. Seguimos excessivamente os desejos e as inclinações de nosso coração. Transgredimos tuas leis santas. Fizemos coisas que não devíamos ter feito e não fizemos o que devíamos ter feito. Não há nenhum bem em nós".[11]

Enquanto digo essas palavras, às vezes penso nas pessoas que as estão recitando comigo e penso: "Eu pertenço a este grupo. Ovelhas perdidas. Nenhum bem em nenhum de nós".

---

11 General Confession, *Book of Common Prayer* (New York: Seabury Press). [A citação é do *Livro de oração comum brasileiro* (Recife: Diocese do Recife, Comunhão Anglicana, 2008), disponível em https://www.anglicananobrasil.com/on/loc-livro-de-oracao-comum].

Talvez não seja ruim, mesmo você e Walt sendo presbiterianos, fazerem essa oração juntos de vez em quando, lembrando-se de que a palavra "nós" significa vocês dois. Você terá menos probabilidade de se tornar uma esposa irritante caso continuamente se lembre de que não é apenas seu marido que deixa de fazer aquilo que (você acha que) ele deve fazer, ou que faz aquilo que (você acha que) ele não deve fazer; ao contrário, você também tem errado e se desviado como ovelha perdida, pecando diariamente por omissão e comissão.

É libertador ter a consciência de que somos semelhantes em nossa necessidade de redenção. Afinal, haverá ocasiões em que você se verá acusando, criticando, ressentindo-se. Você começará, quase sem perceber, a fazer uma lista mental de ofensas, aguardando o dia em que haverá a gota d'água e você poderá recitar a lista inteira, certificando-se de acrescentar ao final: "E só mais uma coisa...!". Mas você se verá totalmente desarmada, e seu espírito acusador se transformará em perdão amoroso, quando se lembrar de que, na verdade, se casou apenas com um pecador — e ele também. É da graça que vocês dois precisam.

Perigos mil atravessei e a graça me valeu.
Eu são e salvo agora irei ao santo lar no céu.

Uma das declarações mais tolas que já captaram a imaginação popular veio daquele filme tolo *Love Story*:

"Amor é nunca ter que se arrepender". Se machucar alguém que você ama não a faz se arrepender, o que no mundo faria isso? Você precisa, *sim*, de perdão. Você precisa, *sim*, perdoar. E é algo maravilhosamente abençoador confessar seu pecado àquele contra quem você pecou e pedir seu perdão. Às vezes, quando você estiver pensando que já passou da hora de ele pedir perdão a *você*, lembre-se de que vocês são iguais em sua necessidade de redenção. Não há disputa por pontos no amor.

O amor também não é cego. Ao contrário, quem ama de verdade vê com clareza na pessoa amada a verdade que está oculta aos olhos dos outros. O homem amado torna a própria luz do sol mais brilhante e faz o mundo inteiro cantar; e talvez por isso nem sempre seja fácil lembrar que ele é um pecador. Porém, quando o amor se torna um fato cotidiano com o qual vivemos, começamos a descobrir imperfeições diante das quais reagimos com ou sem amor.

Sara Teasdale expressou a resposta amorosa em "Appraisal" ["Apreciação"]:

> *Jamais pense que ela o ama cegamente,*
> *jamais creia que o amor dela nada vê,*
> *ela guarda a sete chaves, em sua mente,*
> *todos os erros cometidos por você;*
> *suas indecisões estão lá, arquivadas*
> *como bandeiras velhas e desbotadas,*
> *enodoadas pelo tempo e as torrentes;*

> seus medos, entulhados como vestes
> puídas, manchadas completamente —
> deixe-os em paz! Ah, deixe-os em paz.
> Há um tesouro nele capaz de superá-los:
> sua vontade resoluta, que feroz se incita
> e se eleva tão certamente quanto a maré;
> gentileza com os bichos da terra e do céu;
> percepção aguçada, a qual jamais dormita;
> humor discreto, mas capaz de mover
> como a lua sobre as águas do mar;
> e tão profunda é sua ternura
> que palavras não podem expressar.[12]

Portanto, você se casa com um pecador. E você ama, aceita e perdoa esse pecador, assim como você mesma espera ser amada, aceita e perdoada. Você sabe que "todos pecaram e carecem da glória de Deus" e que isso inclui seu marido, o qual ainda carece de algumas das glórias que você esperava encontrar nele. Aceite isso de uma vez por todas e, então, caminhe ao lado dele como "herdeiros da mesma graça de vida".

---

12 Sara Teasdale, "Appraisal".

24
VOCÊ SE CASA COM UM HOMEM

Você se casa não apenas com um pecador, mas também com um homem. Você se casa com um homem, não com uma mulher. É estranho como algumas mulheres esperam que seus maridos sejam mulheres, ajam como mulheres e façam o que se espera das mulheres. Mas eles são homens, agem como homens, fazem o que se espera dos homens e, portanto, fazem o inesperado. Eles surpreendem suas esposas por serem homens, e algumas esposas descobrem a terrível verdade de que, afinal, não era realmente um *homem* que elas queriam. Era o casamento, ou alguma ideia vaga de casamento, que proporcionava os benefícios secundários que elas estavam procurando — um lar, filhos, segurança, status social. De algum modo, porém, o casamento também introduziu em suas vidas confortáveis essa criatura imprevisível, incontrolável e indisciplinada chamada homem. É provável que ele seja maior, mais barulhento, mais difícil, mais faminto e mais sujo do que uma mulher espera, e ela descobre que pés maiores deixam pegadas maiores no chão recém-lavado da cozinha e fazem um barulho maior nas escadas. Ela descobre que o que a faz chorar pode fazê-lo rir. Ele come muito mais do que parece necessário ou mesmo razoável para uma mulher, que nunca deixa de se preocupar com o excesso de peso. Quando ele toma banho, seu tamanho avantajado significa mais uso de água e uma superfície maior para a água se agarrar; portanto, ela descobre que as toalhas ficam muito mais úmidas, além de ele provavelmente não pendurá-las dobradas em três — como ela quer que ele faça, para deixar o monograma à mostra. Pode ser que ele nem mesmo as pendure. Ele não usa esponja, então consome três vezes mais sabonete do que ela. Quando ela limpa o banheiro, descobre que tem de limpar lugares que nunca teve de limpar antes. Ele aperta o tubo de pasta de dente bem no meio, em vez de enrolar a ponta. Sempre que ele faz algo que ela considera inexplicável ou indefensável, ela resmunga: "Só podia ser homem!" — como se isso fosse uma condenação ou, na melhor das hipóteses, uma desculpa, e não um bom motivo para agradecer a Deus. Afinal, foi com um homem que ela se casou, e ela tem sorte por ele agir como um homem.

"Homens são homens", diz Gertrude Behanna; "eles não são mulheres. Mulheres são mulheres. Elas não são homens". É mais um daqueles fatos óbvios que nem sempre lembramos com tanta facilidade.

Eu sei que é difícil para você imaginar isso no início do jogo, mas, algum dia, você pode pensar (talvez até mesmo diga em voz alta): "Não tenho certeza se meu marido me entende". Provavelmente, você está certa. Ele não entende. Ele é homem. Você é mulher. Existem algumas áreas em que os dois nunca se conciliarão, e nós devemos ficar contentes com isso. Embora, algumas vezes, fiquemos frustradas e enfurecidas com a incapacidade de sondar as profundezas da personalidade do outro, quem é capaz de negar o fascínio do mistério, de saber que há profundezas que jamais exploramos?

Na Bíblia, encontramos a história de um homem que foi capaz de responder a todas as perguntas de uma mulher. A rainha de Sabá foi a Jerusalém para testar Salomão, o rei famoso, com perguntas difíceis. Ela foi com a pompa e o esplendor apropriados a um encontro tão importante. Já tínhamos ouvido acerca da sabedoria e da justiça de Salomão, mas, até então, nenhuma menção fora feita à sua longanimidade. Essa história a revela, pois é dito que a rainha "lhe expôs tudo quanto trazia em sua mente". Aquilo deve ter demorado muito. Poucos homens gostariam de ouvir tudo que se passa na mente de uma mulher, mas, aparentemente, o rei a ouviu, pois "Salomão lhe deu resposta a todas as perguntas, e nada lhe houve profundo demais que não pudesse explicar". Que homem ele deve ter sido, a ponto de ter o domínio de todas as respostas e a paciência para dar todas as explicações necessárias para satisfazer uma poderosa soberana, alguém que, sem dúvida, chegara com ceticismo, talvez até mesmo com inveja e desprezo. Mas ela ficou completamente convencida. Ele foi vitorioso e ela viu a sabedoria dele. Ela também inspecionou a casa que ele construíra, a comida de sua mesa, o assento de seus oficiais, o serviço e as roupas de seus servos e as ofertas queimadas que ele oferecia na casa do Senhor. Após ter visto tudo isso, "não houve mais espírito nela". A exibição tirou o fôlego da rainha. Ela conseguiu se recompor o suficiente para elogiá-lo e lembrá-lo da bênção de Deus sobre ele. Após presenteá-lo com as dádivas que trouxera e receber presentes dele, não havia mais nada a fazer senão ir embora para casa.

Poucos homens podem fazer o que Salomão fez. Poucos deveriam tentar. E deve-se alertar a mulher que se propõe a testar um homem com perguntas difíceis para o fato de que ela pode acabar sem espírito e sem nada a fazer exceto dar meia-volta e retornar ao lugar de onde veio. Provavelmente, é um caminho mais seguro e muito mais sábio não contar a um homem tudo que está em sua mente, não pressioná-lo com perguntas difíceis. Deixe espaço para o mistério.

Quando estávamos nos preparando para um painel de discussão sobre casamento para estudantes universitárias, cinco palestrantes se reuniram em nossa casa para discutir qual tema cada uma deveria cobrir. No decorrer do que se tornou uma conversa muito animada, sugeri que alguém deveria falar sobre choro. Algumas ficaram surpresas. O que, afinal de contas, eu queria dizer com isso? Bem, as mulheres choram. Muitas não fazem isso com frequência, claro, mas é uma possibilidade para a qual um homem deveria estar preparado. Nada desconcerta mais um jovem marido do que as lágrimas de sua esposa — geralmente nos momentos mais inesperados e por razões que parecem de todo inexplicáveis. As perguntas ansiosas dele não levam a lugar algum e as tentativas dela de explicar apenas aumentam sua ansiedade. Os homens devem ser avisados de que não adianta tentar explicar. É apenas uma das coisas que provam que homens são homens e mulheres são mulheres.

Esse raciocínio foi recebido sob altos protestos. "Ora, eu tenho certeza de que não choro mais do que uma vez por semana!", insistiu uma delas. Àquela altura, seu padrasto passou pela sala. Ele já estava perplexo com o simples fato de termos um painel. O que havia a ser falado? Um painel sobre casamento? Com cinco palestrantes? Por uma hora? O que diríamos? Ao ouvir essa pequena amostra, ele saiu rapidamente.

Algum tempo depois, ele e eu visitamos um casal extremamente atraente na casa dos trinta anos. Ele era atleta; ela havia sido modelo e vencedora de concursos de beleza.

"Fale do seu painel sobre casamento", disse-me Add.

"Painel sobre casamento?", indagou o marido, de forma inexpressiva. Eu lhe disse o que era e onde ocorrera.

"Mas o que há para ser dito?", perguntou. Sua esposa e eu nos entreolhamos. Por algum motivo, as mulheres não têm qualquer dificuldade em imaginar uma discussão sobre casamento. Os homens consideram isso inimaginável. Porém, quando eu lhes contei da discussão preliminar sobre o choro, foi o marido quem rapidamente entendeu.

"Sei exatamente o que você quer dizer!", disse. "Às vezes, chego em casa do escritório me sentindo ótimo. À noite, vou para a cama orgulhoso de mim mesmo e me deito com as mãos por trás da cabeça, no travesseiro, pensando naquela brilhante decisão que tomei no trabalho e naquele belo golpe que apliquei na academia. Então, de repente, ouço um suspiro.

'Você está chorando?', pergunto.

'Não' (snif).

'Como assim? Você está chorando, sim!'

'Não, não estou!' (snif, snif)

'O que há de errado?', pergunto.

'Nada!', responde ela, e ainda está suspirando. Bem, estou casado há tempo suficiente para saber que isso vai durar três horas e vai envolver muita discussão!"

Durante todo o tempo em que ele contava isso, sua esposa estava sentada na ponta da cadeira, sorrindo de orelha a orelha. Ambos sabiam exatamente do que eu estava falando e concordaram que merecia alguma menção no painel.

Mas eu não posso encerrar esta parte da discussão sem acrescentar que os homens também choram. Não estou traçando dicotomias simplistas aqui, como se todas as mulheres chorassem, mas nenhum homem fizesse isso. Conheço homens que choram muito mais prontamente do que eu. Conheça o seu homem. Saiba que há coisas que o tornam diferente de você. A masculinidade dele ajudará a explicar uma parte delas.

25
VOCÊ SE CASA COM UM MARIDO

A terceira coisa a lembrar é que você se casa com um marido. Para você, Val, duvido que isso seja tão difícil de lembrar quanto o é para mulheres que tiveram irmãos e irmãs, e que conheceram seus próprios pais. Para algumas, é fácil transferir para seus pobres maridos o que elas esperavam de seus pais, irmãos, irmãs, mães ou amigas — e esse é um fardo que nenhum homem consegue suportar. Ele mantém com você um relacionamento totalmente novo e singular, e ambos precisarão de algum grau de maturidade para entrar nele.

Se você sucumbir à tentação de esperar que seu marido cumpra todos os papéis de todos os relacionamentos que você teve antes do casamento, aprenderá que isso é pedir demais. Ele precisa de amigos homens, você precisa de amigas mulheres, embora seu casamento e seu lar tenham prioridade máxima em seus interesses. Tente não deixar seu pobre marido na indefinível e delicada posição de ter de ouvir todos os seus problemas, pequenos ou grandes (e sua classificação deles provavelmente será diferente da dele), para discutir penteados, receitas, dietas, menus e a cor das cortinas da sala de estar, bem como os tópicos que podem interessar muito mais a vocês dois. É fato que conheço homens que se interessam muito pelos penteados e receitas de suas esposas, homens que realmente vão comprar as roupas de suas esposas, e até conheço um marido que faz as roupas de suas esposas. Alguns homens querem saber o que você está planejando para o jantar e querem reorganizar os móveis. Se ele estiver interessado nessas coisas, isso muda todo o quadro. Mas, se não estiver, converse com alguém que esteja, se você quiser conversar sobre isso.

Sei que estou arriscando minha pele ao simplesmente mencionar comida, roupas e móveis. A estereotipada esposa "tradicional" não se interessa por nada mais. Isso é um absurdo, claro. Poderíamos, com igual facilidade, acusar os homens de falar apenas de carros, esportes ou mercado financeiro. Qualquer um, homem ou mulher, que tenha uma mente ativa e curiosa pode interessar-se por comida, móveis, esportes e mercado financeiro; afinal, todos nós comemos e precisamos de móveis, recreação e dinheiro. Por que, então, não falar sobre tudo isso ocasionalmente? Mas isso não significa que não nos interessemos por nada mais. Eu gosto de cozinhar, e cozinhar bem exige muito tempo, talento e imaginação. Eu falo sobre isso às vezes. Mas, quando estou descascando uma cebola, não penso em cebolas. Minha mente está longe da pia. Um homem tem de dirigir um carro, provavelmente gosta de dirigir e deseja ter um bom carro. Ele fala sobre carros às vezes. Mas, quando está dirigindo, sua mente pode estar concentrada em teologia, em um grande jogo ou até mesmo na família.

Tudo que estou sugerindo é que você não seja chata. Alguns assuntos interessarão à sua mãe mais do que ao seu marido. Lembre-se, ele é um marido!

Seu pai costumava dizer que toda mulher precisava de três maridos: um para encher a geladeira, um para amá-la e um para consertar as coisas da casa. É muito para se esperar de um homem, e uma mulher não deve julgar seu marido apenas por quão bom ele é com um martelo. Se uma mulher teve um pai que consertava torneiras, maçanetas e azulejos soltos, que andava de um lado para o outro lubrificando dobradiças e ajustando gavetas sem ninguém sequer pedir, ela espera que o marido faça o mesmo. Que tipo de homem é esse, pergunta, que não é bom com alicates e chaves de fenda?

Há mulheres que cresceram em famílias de atletas, nas quais todos os meninos jogavam futebol ou beisebol, e a família inteira dormia, comia e praticava esportes o ano todo. Essas mulheres têm um choque quando se casam com homens que não gostam de esportes de equipe, preferindo pescar ou fazer caminhadas. Conheço uma jovem esposa que ficou perplexa ao se dar conta de quantos equipamentos eram necessários para manter seu marido "em forma". Ele praticava dois ou três esportes ao mesmo tempo e, em alguns dias, tinha de trocar de roupa duas ou três vezes para cumprir os requisitos. Ela se via pela casa recolhendo "todos aqueles *trajes*!", como disse, e tendo de dar conta de lavar toda a roupa. Ela simplesmente não estava preparada para aquilo quando arrumou um marido.

Creio que, para ser uma boa esposa, uma mulher deve ser (entre outras coisas) tanto sensual como maternal. O casamento envolve sensualidade — uma apreciação do corpo e dos sentidos que é distinta do intelecto —, mas a mulher também deve ter sentimento maternal em relação ao marido. Isso não quer dizer que ela deva tratá-lo como criança. Às vezes, as mulheres expressam profundo ressentimento por sentirem que seus maridos querem ser tratados como crianças. Mas uma esposa deve querer cuidar de seu marido e servir a ele com *a mesma alegria* que uma mãe serve a seu filho.

O marido tem uma tarefa correspondente. Em inglês, a palavra *marido* [*husband*] carrega a conotação de conservar, cuidar, administrar ou proteger. Uma esposa precisa permitir-se ser afagada. Deixe que ele aja como um marido deve agir. Isso é fácil para determinadas mulheres. Talvez seja fácil até demais, a ponto de elas não apenas se permitirem ser afagadas, mas também exigirem ser mimadas. Você me conhece bem o suficiente para saber que não é disso que estou falando. Você não foi mimada.

Crescer com os indígenas ensinou você a aceitar com naturalidade o que a maioria de nós, pessoas "civilizadas", chamaria de privação. Desde o início, você soube que não deveria fazer escândalo e aprendeu isso bem. Você tem sido independente, desde os dias em que saía com os nativos para um dia inteiro de pesca ou coleta, deixando-me para trás. No seu primeiro dia de aula nos Estados Unidos, o ônibus escolar não parou no ponto e eu tive de levá-la até a escola. Todas as crianças já haviam entrado quando chegamos, mas você marchou com coragem e entrou naquele lugar completamente novo, carregando, de cabeça erguida, sua lancheira.

Portanto, eu não temo que você seja uma esposa carente. Mas deixe-o afagar você. Ele é seu marido.

26
VOCÊ SE CASA COM UMA PESSOA

Em quarto lugar, você deve lembrar que se casa com uma pessoa. Eu coloquei isso na quarta posição da lista, não na primeira. Passei a tratar a palavra *pessoa* com bastante cautela nos últimos anos, porque o termo passou a ser usado em excesso. Ouço muita gente falar que quer ser tratada "não como uma mulher, mas como um ser humano" ou "como uma pessoa". Em vez de "homem", emprega-se a palavra "pessoa" para formar expressões de gênero neutro, às vezes até o limite do absurdo.[13] Há algo seriamente distorcido nessa visão da humanidade. Eu não quero que ninguém me trate como uma "pessoa", deixando de me tratar como uma mulher. Nossas diferenças de gênero são os termos de nossa vida, e obscurecê-las de qualquer maneira implica enfraquecer o próprio tecido da vida.

---

13 N. T.: O procedimento descrito pela autora é recorrente em inglês, mas incomum em português — e, por isso, intraduzível. Ela cita os exemplos de *chairperson* (forma neutra de *chairman*, presidente de uma assembleia, organização ou comitê), *spokesperson* (de *spokesman*, porta-voz), *freshperson class* (de *freshman class*, turma de calouros) e *personhole covers* (de *manhole covers*, tampas de bueiro).

Quando elas se perdem, nós ficamos perdidas. Algumas mulheres, de uma forma crédula, imaginam nisso a liberdade de um novo começo, mas, na verdade, é uma nova escravidão, mais amarga do que qualquer coisa da qual procuram libertar-se.

Eu não quero conhecer "pessoas", mas homens e mulheres. Interesso-me por homens como homens e por mulheres como mulheres; e, quando uma mulher se casa, casa-se com um homem porque ele é homem e, na condição de homem, torna-se seu marido. Esta é a glória do casamento: dois tipos de seres separados e distintos se unificam.

Porém, depois de aceitá-lo como pecador, como homem e como marido, você ainda deve lembrar que se trata de uma pessoa. E, como pessoa, ele tem um nome. Nada é mais infalível em revelar sua atitude para com outra pessoa do que o nome pelo qual você a chama.

Há casais que não se chamam por nome algum. Já ouvi um marido fazer uma pergunta ou um comentário à sua esposa, gritando de outro aposento, sem usar qualquer forma de tratamento. Já ouvi esposas fazerem o mesmo e já ouvi ambos os cônjuges se referirem um ao outro apenas pelo pronome de terceira pessoa. Parece-me que quem faz isso se esqueceu ou jamais reconheceu a pessoa com quem se casou. Seu cônjuge tornou-se um acessório.

Há também aqueles que se chamam de "mãe" e "pai". Isso funciona quando se fala do outro para os filhos. Mas um homem chamar sua esposa de "mãe" é mortalmente revelador. A magia já abandonou esse casamento. Ele ainda é o amado dela ou se tornou seu garotinho? É um relacionamento que ainda está crescendo rumo à maturidade, ou que está regredindo?

Eu seria a última a reclamar de nomes carinhosos. Gosto deles. Faz bem ao meu coração ouvir um homem chamar uma mulher de "querida" ou mesmo de "docinho de coco" se ele quiser. Mostra que ela é especial para ele. Katherine Mansfield, cujas ternas e deliciosas cartas de amor foram integralmente publicadas, chamava seu marido de "Espectro" e ele a chamava de "Peruca". Tudo o que peço é que um casal se chame de alguma coisa. Que ambos demonstrem, pela forma como se tratam, em público ou na cama, que reconhecem uma personalidade.

Uma das descobertas mais alegres da vida é que, ao reconhecermos, afirmarmos e confortarmos outra pessoa, vemo-nos reconhecidos, afirmados e confortados. É um beco sem saída partir em busca de conhecer a si mesmo, "encontrar-se" ou descobrir seu "verdadeiro eu".

"É notório que o homem jamais chega ao puro conhecimento de si mesmo até que, antes, tenha contemplado a face de Deus", escreveu João Calvino no início de suas magníficas *Institutas*. E é em conexão com outras pessoas que nós mesmas nos tornamos pessoas plenas. "Nenhum homem é uma ilha." Somos chamadas a ter comunhão com Deus e somos chamadas a ter comunhão uns com os outros. O casamento é o relacionamento mais íntimo e contínuo no qual duas pessoas podem entrar e, como tal, oferece a mais ininterrupta oportunidade de realização da personalidade. Isso não quer dizer, claro, que apenas pessoas casadas podem sentir-se realizadas. A realização é diretamente proporcional à entrega de si. Há pessoas casadas que não aprenderam nem mesmo a primeira lição sobre entrega. Há pessoas solteiras que já avançaram muito nesse caminho. Sempre me pareceu relativamente fácil entregar-me em favor do meu marido — em primeiro lugar, porque eu o amava de todo o coração e, segundo, porque as recompensas eram geralmente mais óbvias e imediatas do que em outros relacionamentos. Amar a esposa, como diz a Bíblia (e certamente se aplica também a amar o marido), é o mesmo que amar seu próprio corpo.

Porém, se seu marido é uma pessoa, isso significa que você deve aceitar o mistério de sua personalidade. Já falamos de como homens e mulheres não se entendem e não podem entender-se perfeitamente. E isso não é simplesmente por causa dos empecilhos de seus gêneros. Pessoas do mesmo sexo também encontram a porta fechada. Seu marido é totalmente conhecido apenas por Deus e, em certo sentido, permanece sozinho diante dele. Deus disse a Abraão: "Anda na minha presença e sê perfeito". Ele não sugeriu que Abraão poderia andar na presença de Sara e ser perfeito. Em última análise, ele é um homem de Deus. Ele é livre, e você deve sempre reverenciar essa liberdade.

Existem perguntas que você não tem o direito de fazer, assuntos que não deve investigar e segredos que deve contentar-se em nunca saber.

"Mas a esposa não tem o direito de saber de tudo?"

Não. Ela não pode tomar nem pedir o que não lhe é dado, e há coisas que um homem não pode e não deve dar. As profundezas clamam apenas por Deus.

27
RENUNCIANDO A TODOS OS DEMAIS

Por fim, você se casa com esse pecador, esse homem, esse marido e essa pessoa. O casamento é a escolha de um acima de todos os outros. Cada parceiro promete renunciar a todos os demais, e a Bíblia diz que o homem deixa seu pai e sua mãe, e "se une" à sua esposa. Qualquer escolha que fazemos na vida instantaneamente nos limita. Escolher tomar esse homem como seu marido é escolher não tomar todos os outros homens na face da terra. Quando você decide casar com esse pecador em particular, compromete-se a suportar seus pecados particulares, embora não tenha uma ideia clara do que serão. Rapidamente, você começará a descobri-los e, ao fazê-lo, lembre-se de que você casou com esse pecador. Você sempre pode olhar para outros pecadores e agradecer a Deus por não ter de conviver com as variadas falhas deles; porém, que tipo de pecados você escolheria se pudesse escolher com quais conviver? É uma coisa boa você não ter de responder a essa pergunta. Você ama esse homem, que, por sinal, é esse tipo de pecador; e você faz seu melhor para aceitar, perdoar, ignorar, suportar e talvez, na misericórdia de Deus, ajudá-lo a superar.

Quando você decide casar com esse homem em particular, decidiu não casar com qualquer outro homem; e esse homem em particular apresenta limitações. Você não começa logo por suas limitações, como a dama em *My Fair Lady*, que vai...

> a decoração refazer
> do telhado até o chão
> e depois a maior diversão:
> vou reformar *você*!

Você não se casa com ele com a ideia de reformá-lo por completo. Quando lhe pediram para dar um conselho a mulheres que estavam pensando em casar, a Sra. Billy Graham disse: "Case-se com alguém a quem *você* esteja disposta a se ajustar".

Se você for uma esposa muito generosa, talvez permita que seu marido corresponda a oitenta por cento de suas expectativas. Os outros vinte por cento, você pode querer mudar. Você pode, se assim quiser, passar o resto da vida podando esses vinte por cento e, provavelmente, não os reduzirá muito. Ou pode decidir pular essa parte e simplesmente desfrutar os oitenta por cento que correspondem ao que você esperava.

Você se casa com *essa* pessoa. Talvez ele tenha sido, há dez anos, o rapaz mais popular na faculdade. Você se sentiu atraída pelo fato de ele ser o astro do futebol, o presidente do grêmio estudantil ou o líder mais articulado dos protestos no *campus*. Mas a vida cai na rotina. Casamento não é uma farra; não é um *campus* universitário, uma disputa política estimulante ou uma competição atlética; e o fato de o homem ter sido um orador fascinante ou um grande zagueiro não parece mais algo terrivelmente importante. Mas, de vez em quando, você deve se lembrar do que ele era, perguntar-se o que realmente chamou sua atenção. Ora, você dirá a si mesma, você não se casou com ele pelo fato de ser um grande zagueiro, não é? Não, você se casou com essa *pessoa*. Quaisquer que fossem as qualidades interiores que o capacitaram a fazer as coisas que ele fazia naquela época, ainda fazem parte dessa pessoa com quem você vai para a cama, com quem toma o café da manhã e com quem discute sobre o orçamento do mês. Trata-se de alguém com os mesmos potenciais que tinha quando você se casou com ele. Sua responsabilidade agora não é apenas piscar os olhos e dizer-lhe quão maravilhoso ele é (mas acaso existe algum homem que não se alegraria com um pouco disso?), mas *apreciar*, de modo genuíno e profundo, quem ele é, apoiá-lo, encorajá-lo e extrair dele aquelas qualidades que você originalmente viu e admirou.

DEIXE-ME SER MULHER

Eu era viúva havia treze anos quando o homem que se tornaria seu padrasto me pediu em casamento. Parecia-me um milagre impossível de acontecer. Já era surpreendente que algum homem me quisesse a primeira vez. Eu havia passado pelo ensino médio e pela faculdade com pouquíssimos encontros. Mas ser desejada outra vez era algo quase além da imaginação. Eu disse àquele homem que sabia que havia mulheres esperando por ele, mulheres que poderiam oferecer-lhe muitas coisas que eu não podia — como, por exemplo, beleza e dinheiro. Mas eu disse: "Há algo que posso lhe dar em que nenhuma mulher neste mundo pode me superar: reconhecimento". A perspectiva da viuvez me ensinara isso.

Alguns anos atrás, houve uma série de cartas à colunista Ann Landers falando sobre homens que roncam. Esposas escreveram reclamando das incontáveis horas de sono perdidas e da irritação daquele barulho horrível na cama, ao lado delas. Outras escreveram oferecendo soluções, mas a discussão se encerrou com uma carta que dizia: "O ronco é a mais doce melodia deste mundo. Pergunte a qualquer viúva".

Quantas vezes já me sentei em uma sala cheia de pessoas e ouvi uma esposa contestar, criticar, menosprezar ou zombar de seu marido na frente de todos e foi difícil me conter para não pular da cadeira, ir até ela e sacudi-la pelos ombros, dizendo: "Você consegue perceber o que tem?". Não, ela não consegue. Ela não tem a mesma perspectiva que eu, claro. Se ao menos houvesse uma maneira de toda esposa ter a experiência de perder seu marido por pouco tempo — até mesmo de pensar que ele esteja morto — para recuperar a perspectiva necessária para um reconhecimento genuíno...

Seu crescimento em direção à maturidade trará a você uma perspectiva mais ampla. O apóstolo Paulo, sempre desejoso de que seus convertidos avançassem para a maturidade espiritual, orou pelos cristãos colossenses para que eles pudessem ver as coisas do ponto de vista de Deus, recebendo sabedoria e entendimento espiritual. O que poderia ser de maior ajuda para uma esposa do que ver seu marido como Deus o vê? Deus o criou, formou-o, redimiu-o, ele lhe pertence. Deus o está conduzindo à perfeição e ainda não terminou de trabalhar nele. Estamos todos inacabados, muito distantes do que devemos ser; mas, se pudermos enxergar a nós mesmas e uns aos outros do ponto de vista de Deus, saberemos para onde devemos ir e em que direção nosso relacionamento deve mover-se.

Pouco depois do meu segundo casamento, fomos convidados para falar juntos em uma igreja cujo pastor, havia pouco tempo, também se casara pela segunda vez. Ele e sua primeira esposa, que morrera de câncer, haviam cursado a faculdade comigo. Eu queria saber o que ele havia aprendido em um ano de segundo casamento. Sem hesitação, ele me respondeu: "Aprendi que Marcie pode me dar coisas que Sue nunca poderia ter dado. Sue me deu coisas que Marcie não pode me dar. Então, aprendi a ser reconhecido — em relação a ambas. Aprecio Marcie exatamente pelo que ela é, de uma forma que eu não tive a capacidade de apreciar Sue."

Sei que você não ficará surpresa com minha pergunta nem com o fato de o homem fazer comparações entre a Esposa I e a Esposa II. Por que ele não deveria fazê-lo? É algo natural, e a comparação entre Marcie e Sue não teve o objetivo de denegrir nenhuma das duas, mas, sim, de apreciar plenamente cada uma pelo que era. Para o cristão que orou por anos a fio para ser conduzido ao parceiro certo e que acredita que aquele com quem se casa é realmente a escolha de Deus para ele, é razoável concluir que a personalidade dada é aquela que melhor complementa a sua própria, aquela que atende às suas necessidades de uma forma que ele mesmo não poderia ter previsto ou escolhido. São as próprias diferenças que abrem nossos olhos para o que somos e, se orarmos por sabedoria e entendimento espiritual, como Paulo orou, nós veremos essas diferenças da forma como Deus as vê e apreciaremos a gloriosa imaginação do Criador que as fez.

28
DINÂMICO, NÃO ESTÁTICO

Já conversamos sobre com quem você vai se casar. Agora, o que é o casamento? Você já leu a definição de Barth. Não posso melhorá-la, mas há quatro coisas que o casamento vem a ser à medida que você for convivendo por dias, semanas e anos com seu marido.

É um relacionamento dinâmico, não estático. Ou melhora ou piora. À medida que as pessoas vão crescendo ou se deteriorando, os relacionamentos entre elas hão de crescer ou se deteriorar. Uma explicação comum oferecida para a incompatibilidade conjugal é: "Nós superamos um ao outro". Um casal se conhece no colégio ou na faculdade, compartilha os interesses da juventude, casa, começa a descobrir que "fazer sucesso" no mundo pode não ser tão divertido quanto fazer amigos, tirar boas notas ou fazer gols lá no campus. A responsabilidade começa a se aproximar, contas têm de ser pagas, decisões têm de ser tomadas, é preciso trabalhar duro sem que haja recompensa pública (tampouco privadas, muitas vezes).

Já se disse que, se um casal não cresce junto, aumenta a distância entre os dois. Porém, para os casais que fizeram os votos com seriedade diante de Deus e na presença de testemunhas, a possibilidade dessa distância crescente não deve ser permitida. Não é algo que precise "acontecer" com eles, como se fossem espectadores atingidos por alguma força da qual são incapazes de se proteger. Eles decidiram amar e viver juntos. Eles permanecem — não desamparados, mas em relação a Deus — cada um responsável por cumprir seus votos perante o outro. Cada um decide fazer a vontade de Deus para que, juntos, se movam em direção à "medida da estatura da plenitude de Cristo" (Ef 4.13). E, se Deus é visto como o ápice de um triângulo no qual eles dois são os vértices básicos, o movimento em direção a Deus, necessariamente, diminui a distância entre eles. Aproximar-se de Deus significa aproximar-se um do outro, e isso implica crescimento e mudança. Eles estão sendo transformados, de glória em glória, na mesma imagem. Não existe tal coisa como estagnação nem aquela aparentemente inocente palavra "incompatibilidade".

Existem tensões. A robustez de uma grande catedral está no impulso e no contraimpulso de seus contrafortes e arcos. Cada um tem sua própria função e cada um, sua força peculiar. É assim que eu vejo a dinâmica de um bom casamento. Não é força em contraste com fraqueza. São dois tipos de força, cada um destinado a fortalecer o

DINÂMICO, NÃO ESTÁTICO

outro de maneira especial. Já falamos sobre a analogia do veleiro com referência ao significado da disciplina. Não é fraqueza o barco submeter-se às leis de navegação. Essa submissão *é* a sua força. São as leis que permitem ao barco utilizar toda a sua força, a fim de subordinar a força do vento e, assim, aproveitá-la a seu favor. Não foi alguma fraqueza no Filho de Deus que o fez obedecer à vontade do Pai. Foi poder — o poder de sua própria vontade em querer a vontade do Pai.

Em um bom casamento, há dependência e independência de ambos os lados. Seu marido precisa que você seja diferente dele; que você seja o que somente você é, o que ele nunca poderá ser e o que ele precisa e deseja ser. Só assim você pode ser o que é em relação a ele. Só assim você pode complementá-lo. Ele depende de você para ser seu complemento; você depende dele para ser o seu. Ele é independente de você em suas diferenças — você é mulher, distinta, totalmente diferente, oposta. "No Senhor, todavia", disse o apóstolo Paulo, "nem a mulher é independente do homem, nem o homem, independente da mulher. Porque, como provém a mulher do homem, assim também o homem é nascido da mulher; e tudo vem de Deus" (1Co 11.11-12). Homens e mulheres não podem e não devem tentar viver a vida sem referência ao sexo oposto. Eles são interdependentes e foram designados para reconhecer e confrontar um ao outro. E é essa confrontação — mais claramente realizada no casamento — que torna de enorme importância que os sexos não sejam confundidos, ignorados, minimizados ou jogados um contra o outro. Nós precisamos um do outro. Marido e mulher precisam ser marido e mulher, não camaradas. A dinâmica deve ser mantida conforme pretendida pelo Arquiteto.

Você já teve alguma experiência desse processo de mudança. Você conheceu Walt pela primeira vez por ele ser amigo de Ed. Quando o viu na vez seguinte, ao voltar da faculdade para as festas de fim de ano, ele despertou seu interesse e você começou a pensar nele não mais como o amigo de um amigo, mas como seu amigo. Lembra-se da noite em que você estava casualmente cuidando de seus afazeres, limpando a cozinha, passando roupa, e ele não ia embora? Você viu que ele estava dando desculpas para ficar, e a percepção de que ele estava interessado em você causou outra mudança. Ele não era mais apenas um amigo. Dois meses depois, você recebeu um cartão no Dia dos Namorados e, logo em seguida, um cartão de aniversário. Na Páscoa, você o viu novamente e começou a se perguntar se o amava. Você recebeu uma ou duas cartas durante o verão e, no outono, você já sabia, sem sombra de dúvida, que ele a amava. Então, no último Natal, ele já era seu noivo e, em breve, será seu marido.

Amigo, amado, marido. Em sua vida juntos, ele será muitas coisas para você. Confidente, companheiro, provedor, força, parceiro nas diversões, ouvinte, mestre, aluno, líder, consolador e, como Sara enxergava Abraão, "senhor". Cada papel tem suas glórias e suas limitações, e cada um requer um tipo diferente de resposta da sua parte — e isso requer resiliência, adaptabilidade, maturidade. A vida torna-se empolgante, e o interesse é mantido por meio dessa dinâmica, desde que tudo seja sustentado pelo amor.

Seu provedor pode, em algum momento, perder o emprego. Sua força pode mostrar inesperada fraqueza. Seu cavaleiro de armadura pode sofrer uma derrota em público. Seu mestre pode cometer um erro grave sobre o qual você já havia tentado alertá-lo. Seu amante pode tornar-se um paciente indefeso, doente, dolorido e triste, necessitando de sua presença e cuidados a cada minuto do dia e da noite. "Este não é o homem com quem me casei", você dirá, e isso será verdade. Mas você se casou com ele para o bem e para o mal, na saúde e na doença, e aquelas tremendas promessas levaram em conta a possibilidade de uma mudança radical. Foi por isso que as promessas se fizeram necessárias.

Algumas coisas na vida podem trazer o que parece ser uma zombaria das promessas solenes. "Amar, honrar e obedecer" a seu marido pode parecer a derradeira ironia diante das indizíveis humilhações e indignidades de uma doença. Amar, honrar e obedecer a esse homem exausto, angustiado e zangado que se recusa a tomar seu remédio? Os votos são sérios. Espantosamente sérios. Mas você não os assume confiando em sua própria força para cumpri-los. A graça que lhe permitiu fazer esses votos estará à sua disposição quando esse cumprimento parecer impossível.

29
UMA UNIÃO

Casamento é uma união. São necessários dois para formar uma união. Um apenas não é suficiente. Quando Deus criou o homem, viu que não lhe era bom estar só e criou uma mulher, dele e para ele, especificamente designada para auxiliá-lo, para lhe ser idônea, para ser sua companheira. A mulher é totalmente outra, um ser totalmente diferente, uma dádiva plena de Deus para o homem; e cada um deles está ligado ao outro, responsável perante o outro em obediência ao mandamento de Deus, responsável por ser homem ou mulher e, no casamento, por se unir ao outro como uma só carne. É por essa razão que o homem deixa seus pais. Ele renuncia a todos os outros laços na carne para estabelecer o mais íntimo de todos, o único que constitui a união perfeita de uma só carne.

Não há competição em uma união. Não há jogos eliminatórios, não há disputa por pontos, não se fazem comparações nem se insiste em dividir meio a meio o que quer que seja. Cada um é pelo outro, jogando a favor, e não contra.

    Mas nós somos humanos. Na condição de minha filha, você sabe muito bem que eu sou humana, cheia de defeitos, sem nenhuma pretensão de dizer que tudo sempre funciona perfeitamente. Certa vez, antes de seu pai e eu nos casarmos, descobri que ele sentia que estávamos competindo e que isso o incomodava. Ambos estudávamos espanhol com uma senhora equatoriana e ela precisava corrigir a pronúncia dele com mais frequência do que a minha. Ele não ficou chateado por achar que ela estava sendo injusta. Ele ficou chateado por achar que ela estava certa. Eu não fazia ideia disso até o dia em que ele me falou a respeito, enquanto passeávamos. Não que ele estivesse me pedindo para ir mais devagar, para "pegar leve" com ele, para ser uma aluna inferior. Nada estava mais longe de sua mente. Ele só queria confessar sua dificuldade naquela competição. Eu reconheci que estava me divertindo com aquilo e que provavelmente estava estudando mais do que estudaria se não houvesse competição. Ele reconheceu que a diferença de dons é um fato da vida e acabou por aceitá-la. Era uma questão de sentimento, *não* de razão, e ele foi capaz de enxergar isso. Ambos começamos a aprender — e essa é uma lição que nunca terminamos de aprender — que quaisquer dons que tivéssemos não eram para nossa ostentação, mas para usarmos em favor de outras pessoas. Depois de nos casarmos, descobrimos como nossos vários dons se encaixavam surpreendentemente bem e, assim, começamos a aprender a lição de 1 Coríntios 12.17-18: "Se todo o corpo fosse olho, onde estaria o ouvido? Se todo fosse ouvido, onde, o olfato? Mas Deus dispôs os membros, colocando cada um deles no corpo, como lhe aprouve".

Há união no corpo físico — todos os membros ligados em harmonia e para o bem do todo, todos sujeitos à cabeça. Assim, há também união no casamento, duas pessoas distintas que se tornam uma só carne e, se forem cristãs, uma em Cristo, em sujeição à sua liderança. Se as duas são uma em Cristo, não há apenas união, mas comunhão, e isso é algo impagável.

30
UM ESPELHO

O casamento acaba por ser um espelho. Cada um reflete o outro, e isso, em certa medida, mostra-se doloroso, pois nenhum de nós pode suportar muita realidade de uma vez. Na Austrália, um periquito chamado Tweetie Pie se viu em um espelho pendurado perto de sua gaiola e teve de tomar tranquilizantes, pois, após a revelação, passou a gritar à noite, lutar contra inimigos imaginários e se encolher no canto da gaiola.

Para a maioria das pessoas, o casamento é a primeira experiência de vida em comum na fase adulta — a primeira experiência do cumprimento diário, ordinário e humilde de deveres em contato próximo com outra pessoa e em dependência mútua dela. Poucos tiveram de assumir, rotineiramente, responsabilidades até o casamento. Ter um colega de quarto da faculdade pode ter fornecido um pouco de prática, mas isso incluía pouquíssimos serviços domésticos e provavelmente nada de culinária ou administração financeira. Essas são realidades difíceis e, se o casamento é a primeira chance que alguém tem de encará-las, pode-se cometer o erro de culpar o casamento em si, ou o cônjuge, por dificuldades que simplesmente fazem parte da vida adulta. A vida inclui muita monotonia. Alguém mal chegou a lidar com ela sozinha e, quando começa a lidar com ela acompanhado, não é de admirar que a fraqueza e o pecado se manifestem. Não admira que haja surpresas. Tal pessoa terá vislumbres de si mesma em um espelho.

Você já teve alguma prática nas rotinas de vida. Nos últimos dois anos, você planejou refeições, fez as compras e as preparou — e fez isso muito bem. Mas é algo diferente planejar, comprar e cozinhar vinte e uma refeições por semana, cinquenta e duas semanas por ano. Você tem conquistado e administrado seu próprio dinheiro há vários anos, mas é algo bem diferente ter de orçar e gastar cuidadosamente o dinheiro que outra pessoa ganhou, fazendo com que dure para ambos por um mês e, então, por doze meses.

E você será testada nessas questões terrenas. Nesse contexto, você se verá como nunca se viu antes. Você se verá pelos olhos de seu marido —e isso será revelador. Algumas vezes, você verá defeitos nele. É bem provável que você esteja vendo nele defeitos que precisa trabalhar em si mesma.

Se você estiver deprimida, talvez note que ele está deprimido. Se você fizer questão de estar alegre, talvez se surpreenda com a diferença que isso fará em seu marido, mesmo quando ele tiver bons motivos para não estar alegre. Sua própria atitude pode criar para ele um clima diferente, e isso faz parte de seu trabalho como esposa. O lar que você constrói e a atmosfera desse lar são o mundo para o qual ele retorna do mundo do seu trabalho. Que esse seja um lugar de beleza e paz!

31
UMA VOCAÇÃO

Finalmente, e creio que o mais importante, o casamento é uma vocação. É uma tarefa para a qual você foi chamada. Se é uma tarefa, significa que você se esforça nela. Não é algo que simplesmente acontece. Você ouve o chamado, atende, aceita a tarefa, começa a desempenhá-la de boa vontade e com entusiasmo, compromete-se com a disciplina, as responsabilidades, as limitações, os privilégios e as alegrias envolvidas. Você se concentra nisso, entregando-se a esse chamado dia após dia em um "sim" para toda a vida. E, após dizer "sim" ao homem que a pediu em casamento, você prossegue dizendo "sim" ao casamento.

Isso é mais fácil para a mulher, penso. Falando por experiência própria, ao se casar, até mesmo uma mulher com uma carreira considera fácil fazer do casamento sua principal tarefa e renunciar à sua ocupação "com brados de aleluia", como disse Ruth Benedict, para que seu marido esteja em primeiro lugar. Talvez, no plano de Deus, ela não abandone de fato essa carreira. Ela deve continuar a fazer o trabalho para o qual foi chamada em primeiro lugar. Eu era uma missionária antes de seu pai me pedir em casamento e, quando me casei com ele, ainda era uma missionária, e não apenas a esposa de um missionário. Na segunda vez que me casei, havia ingressado em outra área de trabalho, como escritora, e não fui dispensada desse emprego para me tornar esposa, embora, em ambos os casos, tenha ficado claro para mim que minha vocação principal era o casamento. Se eu não estivesse disposta e desejosa de ingressar nessa vocação com suas disciplinas, responsabilidades, limitações e privilégios, então eu não deveria ter me casado. Isso me parecia óbvio. Pode haver algumas mulheres excepcionais que combinem carreira e casamento com sucesso, mas dar atenção plena a ambos ao mesmo tempo é uma impossibilidade. Se uma mulher deseja que sua carreira tenha prioridade, é melhor permanecer solteira, pela simples razão bíblica de que ela foi feita para se adaptar a um homem (foi feita "para ele"), se tiver um homem.

Talvez eu esteja fazendo isso soar fácil demais. Antes de me casar pela primeira vez, passei por um longo período de reflexão e oração para saber se, de fato, o chamado missionário não excluía a possibilidade de casamento, no meu caso. Isso certamente era verdade para alguns. Aparentemente, foi o caso de Amy Carmichael. Ela sabia que o chamado divino para o trabalho missionário entrava em conflito com seus próprios desejos de se casar e escolheu não o seu caminho, mas o de Deus. Eu me perguntei se estava sendo chamada a fazer o mesmo tipo de escolha. Você conhece meu temperamento, como sou tão facilmente convencida de que a vontade de Deus é qualquer coisa que eu não queira fazer.

Mas enfim, de formas imprevisíveis, mas inconfundíveis para nós (algumas das quais já lhe contei em outro lugar), concluímos que o casamento era nossa vocação e, como tal, exigia (que exigência agradável!) nosso comprometimento.

Mais tarde, porém, quando as exigências de ser uma missionária ou escritora, ocasionalmente, atrapalhavam o ser uma boa esposa, tive de lutar com a falaciosa suposição de que a tarefa mais fácil ou mais agradável, a de esposa, nada mais era do que uma fuga da responsabilidade. "Mas também é minha responsabilidade ser esposa", dizia a mim mesma e, imediatamente, retrucava: "Mas você tem de ir lá e ensinar aquelas nativas a ler"; ou: "Quando você vai conferir aquela tradução de Lucas?". Quando era tanto escritora como esposa, sentia-me extremamente tentada a não fazer nada além do trabalho doméstico, porque amo o trabalho doméstico e, sobretudo, porque amo realizá-lo para criar um lar para o marido. Porém, houve momentos em que tive de me afastar da cozinha e descer para o escritório para fazer primeiro o trabalho mais difícil e "comer meu espinafre antes de poder ter a sobremesa".

Esse é um conflito que todo homem casado que leva a sério tanto seu casamento como seu trabalho enfrentará. Eu disse que acho mais fácil uma mulher aceitar seu casamento como vocação porque o fardo da responsabilidade financeira recai sobre seu marido. Mesmo nos casos em que a renda da esposa é necessária, o que não era meu caso, o marido é o provedor. Segundo as Escrituras, ele é responsável por sua família. Conheço uma mulher que diz ao marido: "Eu sou sua mulher, mas você é meu viver". Uma mulher nunca é a vida de um homem no mesmo sentido que um homem é a vida de uma mulher, e é assim que deve ser — "O homem não foi criado por causa da mulher, e sim a mulher, por causa do homem". Mas é por isso que não é fácil para o homem ver o casamento como uma vocação. E, se ele não o vê como tal, não levará a sério suas implicações.

Você gostaria de uma fórmula simples para organizar as prioridades, não é? Todas nós gostaríamos, e ninguém nos vai dar. Somente Deus, que a chama para sua tarefa, a ajudará a saber onde reside o equilíbrio, quando você pesa suas responsabilidades diante dele, com oração e confiança. "O justo viverá pela fé" é a norma do casamento, assim como de todas as outras esferas da vida, e não há outra norma que cubra todas as vicissitudes.

O casamento não é a única tarefa para a qual qualquer uma de nós é chamada. As mulheres que não têm uma carreira certamente são chamadas para uma variedade de tarefas além do casamento. A maternidade é uma tarefa que, assim como uma carreira, muitas vezes ofusca a vocação matrimonial, de modo que o casal se esquece de que foi chamado um para o outro e só pensa na família. Como esposa de um ministro, você terá tarefas na igreja que demandam tempo e atenção. Cada tarefa requer fé. Cada uma deve ser reconhecida e aceita ou rejeitada pela fé, crendo que o Deus que ordena todas as coisas pode ordenar e dirigir sua vida para que ela não seja vivida de forma egoísta, "em floridos canteiros de comodidade", nem seja tão confusa ou agitada que a paz de Deus não possa governar.

E a palavra *egoísta* nos leva ao princípio do sacrifício. Vamos assentar isso de uma vez por todas: se uma vida cristã exige sacrifício, um casamento cristão também exige sacrifício, com a entrega de sua vida pelo outro, que é o princípio central do cristianismo. Mas dar sua vida por seu marido, todos os dias, não é, para mim, o tipo de sacrifício mais difícil. Normalmente não se parece nem um pouco com um sacrifício. Muitas vezes, não dói. Mas, quando vocês dois tiverem de se sacrificar juntos por outras pessoas, talvez se pareçam mais com um. Depois de tudo o que eu disse sobre a responsabilidade de um para com o outro, sobre a seriedade dessa vocação do casamento, sobre a necessidade de desempenhar sua tarefa, ainda devo lembrá-la de que o princípio da cruz está no cerne do casamento. Paulo escreveu aos coríntios que, porque "o tempo se abrevia", aqueles que tinham esposas deveriam viver como se não tivessem. Muitos homens casados conseguem viver assim — com um jovial e impensado desprezo por suas esposas e famílias. Não era isso que Paulo tinha em mente. Ele estava escrevendo sobre a necessidade de viver a vida segundo Deus. Ele fala das tensões inevitáveis — "a mulher, tanto a viúva como a virgem, cuida das coisas do Senhor, para ser santa, assim no corpo como no espírito; a que se casou, porém, se preocupa com as coisas do mundo, de como agradar ao marido" (1Co 7.34). Paulo não apoia a ansiedade — "Não andeis ansiosos de coisa alguma", disse ele aos filipenses. Antes, seu motivo ao mencionar essas coisas é "somente para o que é decoroso e vos facilite o consagrar-vos, desimpedidamente, ao Senhor". Algumas vezes, essa consagração pode exigir que vocês sacrifiquem suas vidas juntos pelo bem de outras pessoas. Em outras ocasiões, sua consagração a seu marido será aceita como consagração ao Senhor. "Sempre que o fizestes a um destes meus pequeninos irmãos, a mim o fizestes" (Mt 25.40) — as palavras de Jesus são a prova de que a maneira como tratamos outras pessoas (incluindo, nunca se esqueça, seu marido) é a maneira como o tratamos e ele a aceita como tal.

Portanto, o casamento é uma vocação. Você é chamada para ele. Aceite o casamento, então, como uma tarefa dada por Deus. Mergulhe nele com alegria. Faça-o de coração, com fé, oração e ação de graças.

32
O QUE FAZ O CASAMENTO DAR CERTO

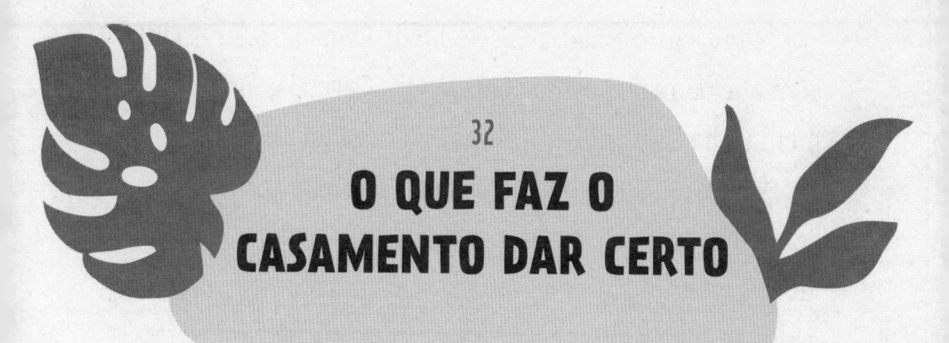

Antes de recomendar as quatro coisas que, creio, fazem um casamento funcionar, devo reconhecer que há inúmeros casamentos aparentemente bem funcionais em que essas coisas têm pouca ou nenhuma importância.

Penso em Eugenia e Guayaquil. Eugenia, uma nativa da tribo Quíchua, veio trabalhar, em sua adolescência, como nossa empregada doméstica em Shandia. Para nossa surpresa, ela trouxe um menino de cerca de onze anos a quem apresentou como seu marido. Eles se mudaram, não exatamente "de mala e cuia", pois acho que trouxeram apenas uma "cuia" — uma rede indígena usada para transportar utensílios, para ser mais precisa. Eugenia fazia o trabalho doméstico; Guayaquil ia para a escola. Ele esperava concluir a sexta série, o mais longe que a escola da missão podia conduzir os meninos naquela época. Quando voltava da escola, fazia tudo o que Eugenia mandava: cortava lenha, acendia o fogão, carregava água e, às vezes, cortava cebolas, mexia as panelas, lavava os pratos — e esse era um arranjo muito conveniente para todos nós.

Gervacio, o irmão mais velho de Eugenia, era casado com a irmã mais nova de Guayaquil, Carmela, uma doce menininha com enormes olhos escuros e um sorriso tímido. A mãe de Guayaquil e Carmela morrera quando eles eram pequenos, e o pai havia decidido que a maneira mais fácil de assegurar que eles seriam bem cuidados seria entregá-los aos respectivos cônjuges prometidos. Portanto, eles foram dados mais precocemente que de costume, mas ambos os casamentos pareciam totalmente bem-sucedidos. Perguntei a uma das nativas se aqueles casais realmente dormiam juntos. Ela deu uma gargalhada e disse (seu coloquialismo se perde muito na tradução): "Nenhuma esposa dorme mais perto do marido do que Carmela!".

Nós vimos como a poligamia funcionava bem na tribo Auca. Nossa casa era vizinha à de Dabu, que tinha três esposas. Durante o dia, nós as víamos juntas enquanto o marido caçava. A casa deles, como a nossa, não tinha muros. Nunca ouvimos uma discussão ou vimos o menor sinal de atrito entre aquelas mulheres. Dabu era fiel a elas, até onde se sabia (e todos sabiam praticamente tudo sobre todos), e muito generoso em tê-las tomado para si, pois todas eram viúvas com seus próprios filhos e não teriam ninguém para caçar para sua prole se Dabu não fosse tão generoso.

Sabemos de casamentos "mistos" entre pessoas de culturas ou raças muito diferentes que pareciam funcionar bem.

Richard Hooker, grande teólogo inglês, casou-se com a filha da locadora da casa na qual ele se hospedava quando pregava em Londres. Ela era, de acordo com um amigo, "uma mulher tola e desajeitada que não lhe trouxera beleza nem dote. O casamento foi uma desgraça e um erro". Esse era o julgamento do amigo. O próprio Hooker estava satisfeito com Joan, chamando-a de sua "esposa bem-amada" e escrevendo: "Mesmo em seu primeiro estado, a mulher foi moldada pela natureza não apenas após o homem, em relação ao tempo, mas também inferior a ele, em excelência; contudo, apresentando-se aos nossos olhos em tão própria e doce proporção, é mais facilmente percebida do que definida. E aqui mesmo reside a razão para aquele tipo de amor que é a base mais perfeita para o matrimônio raramente ser capaz de fornecer de si mesmo qualquer razão".[14]

É uma declaração comovente ao vir de um homem assim. Nos próximos capítulos, discutiremos se ele tinha base bíblica para crer que a mulher é "inferior" ao homem "em excelência", mas tal fato deve ter parecido evidente a ele e, portanto, não carecia de autoridade superior. Todavia, ele deve ter conhecido "aquele tipo de amor que é a base mais perfeita para o matrimônio", e ninguém pode discutir com ele a esse respeito.

---

14 Hooker, *Ecclesiastical Polity*, Book V, Section XXIII (New York: AMS Press, Inc.).

33
ACEITAÇÃO DA ORDEM DIVINA

Algo que faz um casamento dar certo é a aceitação de uma ordem divina. Ou há uma ordem ou não há e, se há uma ordem que é violada, o resultado é a desordem — desordem no nível mais profundo da personalidade. Creio que há uma ordem, estabelecida na criação do mundo, e creio que boa parte da confusão característica de nossa sociedade resulta da violação do desígnio de Deus. O projeto arquitetônico foi perdido. Todos estão tentando adivinhar como o edifício deve ser.

Ontem foi concluída a missão Apollo-Soyuz, a reunião de americanos e russos no espaço. Quantos complexos e incríveis detalhes tiveram de ser postos em funcionamento, ajustando-se e cooperando perfeitamente durante dez dias, a fim de conectar as duas cápsulas espaciais e, em seguida, separá-las e direcioná-las aos seus destinos designados na Rússia e no intransitável Pacífico, tudo cronometrado. (Na cápsula americana, houve uma variação de tempo de vinte e quatro segundos em dez dias.) Mas havia um desígnio. Tudo fora ordenado e planejado. Tudo correu de acordo com o plano, e que alívio recompensador todos nós sentimos porque tal sucedeu!

    Que alívio é saber que existe um desígnio divino! Esse conhecimento é o segredo da serenidade. Jesus é o exemplo perfeito de um ser humano que viveu em serenidade e obediência à vontade do Pai. Ele se movia pelos eventos de sua vida sem confusão ou pressa, cheio de graça ao se encontrar com homens e mulheres. Ele era capaz de dizer: "Eu faço sempre o que lhe agrada [ao Pai]" (Jo 8.29) — e certamente ele agia assim sem os vinte e quatro segundos de variação. No final de seu tempo com os discípulos, ao se sentar com eles para a Ceia, sabendo o que estava prestes a acontecer, ele lhes demonstrou que o conhecimento de sua origem e destino o capacitava a fazer coisas que lhes teriam sido impensáveis. "[Sabendo Jesus] que ele viera de Deus, e voltava para Deus, levantou-se da Ceia, tirou a vestimenta de cima e, tomando uma toalha, cingiu-se com ela" (Jo 13.3-4). Sabedor de sua iminente traição e em face de sua própria morte, ele assumiu o lugar de um escravo e lavou os pés dos discípulos. Ele pôde agir assim porque sabia quem era e de quem era. Ele também seria capaz de enfrentar os eventos da noite e do dia que se seguiriam. Não foi a fraqueza que o capacitou a se tornar um escravo. Não foi a resignação que o conduziu ao Calvário. Ele havia aceitado e desejado a vontade do Pai.

ACEITAÇÃO DA ORDEM DIVINA

Você e eu podemos ser firmadas, guiadas e sustentadas por conhecermos de onde viemos e para onde vamos. Saber que o mundo inteiro se move em harmonia segundo a ordem de Deus traz uma estabilidade maravilhosa.

A noção de hierarquia vem da Bíblia. Originalmente, as palavras *superior* e *inferior* referem-se a uma posição, e não a um valor intrínseco. Uma pessoa sentada no topo de um estádio seria superior a — estando acima de — uma pessoa na primeira fila. Querubins e serafins eram superiores aos arcanjos; arcanjos, aos anjos; e o homem foi criado "por um pouco, menor que os anjos" (Hb 2.7). A terra e suas criaturas foram formadas antes do homem, então a posição do homem na escala divina não é necessariamente determinada pela cronologia da criação, pois isso daria aos animais um lugar superior. Sua posição lhe foi atribuída ao receber a ordem de subjugar a terra e ter domínio sobre os peixes do mar, sobre as aves dos céus e sobre todos os seres viventes que se movem sobre a terra. "Sob seus pés tudo lhe puseste", escreveu o salmista (Sl 8.6).

Os salmos estão cheios de expressões da autoridade e do controle de Deus — expressões de medição, limitação e direção. O Salmo 104, por exemplo, fala disso: "Lançaste os fundamentos da terra, para que ela não vacile em tempo nenhum. [...] Elevaram-se os montes, desceram os vales, até ao lugar que lhes havias preparado. Puseste às águas divisa que não ultrapassarão, para que não tornem a cobrir a terra. [...] [O Senhor] fez a lua para marcar o tempo; o sol conhece a hora do seu ocaso. [...] Envias o teu Espírito, eles são criados" (vv. 5-30).

O livro de Jó descreve o planejamento perfeito, a medida, os limites e a harmonia: "Onde estavas tu quando eu lançava os fundamentos da terra? Dize-mo, se tens entendimento. Quem lhe pôs as medidas, se é que o sabes? Ou quem estendeu sobre ela o cordel? Sobre o que estão fundadas as suas bases ou quem lhe assentou a pedra angular, quando as estrelas da alva, juntas, alegremente cantavam, e rejubilavam todos os filhos de Deus?" (Jó 38). O mesmo capítulo usa expressões como "encerrou o mar com portas", "quando eu lhe tracei limites", "deste ordem à madrugada", "fizeste a alva saber o seu lugar", "portas da morte", "portas da região tenebrosa", "depósitos da neve", "o caminho para onde se difunde a luz", "caminho para os relâmpagos dos trovões". Um lugar para tudo e tudo em seu devido lugar. Jó, um homem esmagado por seus próprios sofrimentos físicos e perdas materiais, é levado a um novo e profundo conhecimento de quem Deus é, bem como a um reconhecimento de que tudo está inteiramente sob o comando divino.

As estrelas mantêm seu curso, e os mares, seu limite. A lua se põe, o sol nasce, as marés vão e vêm. Os animais respondem à sua própria natureza e a vegetação cresce e produz flores e frutos nas estações designadas.

ACEITAÇÃO DA ORDEM DIVINA

Em um surpreendente contraste, a carta de Judas refere-se a anjos "que não guardaram o seu estado original, mas abandonaram o seu próprio domicílio", ou, em outra tradução, "não conservaram suas posições" e, como resultado, Deus os "tem guardado sob trevas, em algemas eternas" (Jd 6, ARA e NVI).

Anjos e homens, até onde sabemos, são as únicas criaturas culpadas dessa recusa em manter seus lugares designados. "Até a cegonha no céu conhece as suas estações", escreveu Jeremias; "a rola, a andorinha e o grou observam o tempo da sua arribação; mas o meu povo não conhece o juízo do Senhor" (Jr 8.7).

# IGUALDADE NÃO É UM IDEAL CRISTÃO

Se aceitarmos a ideia de hierarquia, precisamos saber onde estão os limites.

Requereu-se ao reitor de uma pequena faculdade confessional que afrouxasse um pouco algumas regras, a fim de torná-las mais "relevantes", mais "realistas" e mais "aceitáveis aos alunos de hoje em dia". Aquele reitor, porém, já estava no ramo havia tempo suficiente para saber que o mesmo requerimento seria feito todos os anos. Todos os anos, o jornal estudantil publicava editoriais sobre o ponto de corte, os regulamentos dos dormitórios, o sistema de notas e a capela obrigatória. (Você já percebe que isso foi alguns anos atrás — os alunos de hoje dificilmente já ouviram falar de qualquer uma dessas coisas.) Você pode comparar as edições de 1926 e 1956, e encontrar queixas semelhantes.

"Onde quer que você estabeleça limites", disse o reitor, "é onde a batalha será travada".

Nos breves dez meses de sua vida antes da morte de seu pai, lembro-me de um único limite que ele teve de traçar para você. Ele deixou bem claro que você não devia tocar nos livros dele. Você pegou um na prateleira de baixo, rasgou uma página, levou uma palmada e, a partir de então, entendeu perfeitamente (a compreensão de um bebê geralmente está muito além da estimativa de seus pais) que não deveria chegar perto deles. Mas eu ainda consigo ver aquela sua carinha pensativa, autoconfiante, travessa e claramente desafiadora enquanto rastejava lentamente em direção à estante, olhando-nos de soslaio, testando os limites. Observávamos em silêncio, também testando. Você prosseguiu. Um dedinho se ergueu do chão e avançou em direção aos livros. "Valerie..." Pausa. O dedo parado no ar, o olhar ainda desafiador. Silêncio. Então, o dedo se moveu, muito discretamente. "Não..." O dedo parou, a expressão relaxou e mudou repentinamente para uma de intencionalidade, então você engatinhou para longe, como se tivesse assuntos urgentes a tratar em outro lugar.

Os limites devem ser demarcados. O universo é regido por leis nas quais podemos confiar. Não apenas reitores de faculdade e pais traçam limites para controlar alunos e filhos. Qualquer negócio deve ser administrado por certos princípios claramente definidos. Um candidato a uma vaga de emprego recebe uma descrição do cargo e, se for escolhido para ocupá-lo e aceitá-lo, também aceita os limites que lhe são estabelecidos e as responsabilidades que o acompanham.

Mas aí está a grande questão para nós, mulheres: onde foram traçados os limites? Uma mulher está obrigada a se submeter ao marido? Uma mulher pode ser ordenada ao ministério da igreja? Ela está subordinada aos homens em todas as áreas da vida? Muitas mulheres prontamente aceitam a noção de uma ordem criada, mas consideram que homens e mulheres foram criados "iguais".

A igualdade não é, de fato, um ideal cristão. Em primeiro lugar, é muito difícil entender o que as pessoas querem dizer quando falam de igualdade. Certamente, elas não querem dizer que homens e mulheres são como as duas metades de uma ampulheta ou de uma laranja. Em seu *House of Intellect*, Jacques Barzun diz: "Os conceitos de superior e inferior só podem ser determinados a respeito de uma qualidade única para um propósito único. [...] Os homens são incomensuráveis e devem ser considerados iguais. [...] A igualdade é apenas uma das qualidades do homem, e uma das mais dispensáveis".

Podemos dizer que homens e mulheres são iguais no quesito de haverem sido criados por Deus. Tanto o masculino como o feminino são criados à sua imagem. Ambos carregam o selo divino. Ambos são igualmente chamados à obediência e à responsabilidade, mas há diferentes responsabilidades. Porém, Adão e Eva pecaram e são igualmente culpados. Ambos, portanto, são igualmente objetos da graça de Deus.

A afirmação "Todos os homens são criados iguais" é política, referindo-se a uma qualidade única para um propósito único. C. S. Lewis a descreveu como uma "ficção legal", útil, necessária, mas nem sempre desejável. O casamento é um lugar ao qual ela não pertence de forma alguma. O casamento não é uma arena política. É uma união de dois opostos. É uma confusão utilizar expressões como "separados, mas iguais" ou "opostos, mas iguais" para se referir a essa inigualável união de duas pessoas que se tornam — porque foram criadas diferentes, para que, assim, pudessem tornar-se — uma só carne.

35
HERDEIROS DA GRAÇA

Há um coelho roendo folhas de trevo bem embaixo da janela junto à qual estou sentada com minha máquina de escrever. Dois homens estão em cima de uma pequena lancha que passa pelo porto e duas rolas-carpideiras permanecem lado a lado sobre o fio telefônico. Agora, as roseiras selvagens estão em plena floração, quase cobrindo a cerca do outro lado da rua. É difícil continuar na máquina de escrever em uma manhã assim. Gostaria de caminhar com você pela praia e encontrar uma reentrância em uma duna na qual pudéssemos nos sentar e conversar.

Seu aerograma chegou esta manhã, escrito logo após sua chegada a Amsterdã. Você escreveu sobre pequenos chalés de sapê, cobertos por trepadeiras; sobre altas e majestosas casas de pedra, com janelas que têm leves cortinas de renda e uma abundância de plantas e flores; e sobre belas terras agrícolas com canais margeando cada lote. Você observou a ordem e a limpeza. Cape Cod tem algumas cidades encantadoras, como Chatham, que também é bela e organizada. Ontem, homens estavam cortando o mato que cresce entre as pedras do meio-fio. Os chalés de telhas rústicas têm cortinas brancas. Há muitas hortas bem cuidadas contornadas por cercas de arame para manter os coelhos a distância. (A contagem de ontem, quando fui ao correio de bicicleta, foi de quarenta e quatro.)

Que alegria é essa que sentimos na ordem e no planejamento? Não é o mesmo tipo de prazer que sentimos no ritmo (que é a previsibilidade) da música, nos padrões de um tapete oriental, nos movimentos calculados de uma dança, nas formas impecáveis de qualquer verdadeira obra de arte? Nossa alegria está na própria disciplina da coisa. A disciplina não sufoca; dá força e torna a beleza possível. Por que não deveria ser assim quando consideramos também a gloriosa ordem hierárquica? Cada ser desempenha sua parte na música, no padrão e na dança, e, ao executá-la de acordo com as instruções do Criador, ele encontra sua alegria mais plena.

Isso é gracioso, e não há na Bíblia expressão mais bela para descrever um casal do que a frase de Pedro: "juntamente, herdeiros da mesma graça de vida" (1Pe 3.7). O contexto é interessante. Pedro está escrevendo aos exilados sobre como devem comportar-se nos países por onde foram dispersos. A obediência deles à autoridade pode, em última instância, levar as pessoas à sua volta a glorificar a Deus. Os servos devem submeter-se aos seus senhores, sejam eles bons ou maus, pois Cristo sofreu injustamente e é seu exemplo que eles são exortados a seguir. As mulheres casadas devem ajustar-se aos maridos, seguindo o exemplo de Sara, que obedecia a Abraão. Os maridos devem "tentar compreender" (como na tradução de Phillip) suas esposas, honrando-as como seres fisicamente mais frágeis, embora "convosco igualmente herdeiras da graça de vida".

Servos e senhores, esposas e maridos têm suas graças especiais e suas instruções especiais. Tudo isso constitui o padrão — o padrão de Deus. Cada um faz parte desse padrão tanto quanto o outro, mas, quando pensamos no todo em termos de uma pintura, uma dança ou uma sinfonia, a noção de igualdade parece totalmente inapropriada. Ainda assim, marido e mulher são "igualmente herdeiros" de um modo intrincado e íntimo, e a herança conjunta deles é a graça.

IGUALDADE PROPORCIONAL

Casamento não é um negócio meio a meio. Tão logo seja concebido como tal, torna-se uma guerra de poder, com picuinhas e disputas de pontos para garantir que um não supere o outro. "Se eu fizer isso, você terá que fazer aquilo". Já li sobre contratos de casamento em que todas as tarefas domésticas eram efetivamente designadas a um ou ao outro — nas terças e quintas-feiras, por exemplo, a esposa faz o café da manhã e se certifica de que os filhos se aprontem, alimentem-se e levem à escola seus livros, dinheiro para o lanche, passagens de ônibus, roupas de ginástica e assim por diante. O marido faz tudo isso nas segundas, quartas e sextas-feiras. A esposa cozinha o jantar nas segundas, quartas e sextas-feiras; o marido, nas terças e quintas-feiras. Os fins de semana são distribuídos de acordo com a quantidade de trabalho externo a ser feito, quem fez mais "extras" durante a semana, e assim por diante. Você consegue se imaginar aos sábados sentando-se para fazer a contagem de pontos? Você imagina chamar esse tipo de arranjo de casamento? Isso pode ser outra coisa senão uma parceria de negócios? Alguns, porém, chamam de liberdade ou maturidade.

Qual deve ser a porcentagem, então? Pergunta errada. Vocês poderiam perguntar isso se fossem herdeiros, em conjunto, dos imóveis de uma tia-avó, mas nós estamos falando da graça, a graça de vida. As igualdades entre vocês já foram delineadas: igualmente pecadores, igualmente responsáveis, igualmente necessitados de graça e igualmente objetos dessa graça. É aí que termina a divisão meio a meio. Vocês assumem a vida como marido e mulher, e começam a sacrificar suas vidas — não como mártires, não como capachos ou ascetas fazendo um voto especial de santidade, mas como dois amantes que precisaram da graça e a receberam, que sabem muito bem que continuarão precisando dela e a recebendo todos os dias em que viverem juntos.

É um grande alívio não termos de ser iguais. O lar é o lugar no qual devemos nos permitir ser desiguais, o lugar em que cada um conhece as desigualdades do outro e sabe, ademais, que são as desigualdades que fazem o lar funcionar.

Mas desigualdade é realmente a palavra errada. Talvez a ideia de justiça de Aristóteles explique o que quero dizer. Ele chamou a justiça de "igualdade proporcional". Ou seja, justiça é "a arte de distribuir porções cuidadosamente calculadas de honra, poder, liberdade e coisas do tipo para os vários escalões de uma hierarquia social fixa, e, quando a justiça é alcançada, produz uma harmonia de diferenças".[15]

---

15 N. T.: A citação é extraída de C. S. Lewis, *Alegoria do amor: um estudo da tradição medieval*. Trad. de Gabriele Greggersen (São Paulo: É Realizações, 2012), 364.

Não vou defender a validade política da definição de Aristóteles. Deve ter funcionado em seu tempo e em outras épocas desde então, mas trata-se de outro mundo, um mundo com o qual os cristãos têm de conviver e do qual têm de participar, mas que não é necessariamente administrado sob princípios cristãos. Um lar cristão, entretanto, é um mundo em si mesmo, um microcosmo que representa — assim como a igreja representa — a hierarquia do próprio cosmos. E pode ser administrado sob princípios cristãos.

Aquela expressão "porções cuidadosamente calculadas" já é o bastante para causar arrepio. A quem cabe aferir e distribuir essas porções? Claramente, alguém deve fazê-lo. Deve haver uma autoridade competente para fazer isso.

Na casa em que cresci, éramos seis filhos, com diferença de idade de até dezesseis anos. O melhor quarto, o único com banheiro, pertencia à esposa do meu avô, que morou conosco durante oito anos. Quando ela morreu, aquele quarto passou a ser dos meus pais. A melhor cadeira da sala, aquela com abajur e apoio para os pés, era de meu pai. Ele se sentava à mesa de jantar em uma das extremidades; a mamãe se sentava na outra. Os filhos de quatro anos tinham trabalho a fazer assim como os de vinte, mas cada um era "cuidadosamente aferido". Os pequenos cuidavam das lixeiras, os grandes cozinhavam, cortavam a grama, passavam as roupas, pintavam a casa. As moças sabiam quais tarefas nessa lista lhes cabiam; os rapazes, igualmente, sabiam as deles. As moças faziam a maior parte do trabalho de lavar a louça, mas os quatro rapazes se revezavam para secar e guardar. Minha mãe cozinhava enormes quantidades de comida boa e simples. Normalmente, havia o suficiente para quem quisesse repetir, mas minha mãe jamais "guardava" comida para alguém. Ocasionalmente, havia reclamações de injustiça do tipo: "Por que ele não precisa fazer isso também?". Se restasse um biscoito no prato, a ideia de justiça da minha irmã era: "Alguém deseja isso mais do que eu?".

Se houvesse o que meu pai chamava de "bate-boca" entre os filhos, eles eram convocados separadamente para testemunhar. No minuto em que o reclamante começava com "Bem, ele...", era interrompido. "O que *você* fez?", essa era a questão: "Eu só quero ouvir o que você fez". Às vezes, isso resultava no total enfraquecimento do testemunho e na desistência das acusações.

Essa justiça doméstica era baseada na autoridade doméstica. No casamento, se duas pessoas maduras se amam, toda essa questão de autoridade é quase inteiramente de compreensão tácita. Eu provavelmente poderia contar com uma mão, talvez com um dedo, os momentos em meus próprios casamentos nos quais isso se tornou uma questão consciente. Quando acontecia, claro, eu precisava me lembrar de que os limites haviam sido traçados — não por meu marido, mas por Deus. Eu fora originalmente criada para ser uma auxiliadora, não uma antagonista.

A HUMILDADE DA CERIMÔNIA

Americanos têm nostalgia de cerimônias. A democracia nos dá poucas chances de pompa e nenhuma de esplendor, mas você está experimentando um pouco dessas coisas na Inglaterra. Em sua carta de ontem, você mencionou ter assistido à Parada de Aniversário da Rainha.

"Oh, quanta realeza, quanta majestade!", você escreveu. "Todos aqueles guardas, a banda e a cavalaria. As cores e os trajes eram magníficos. A rainha-mãe veio na frente, em uma carruagem. Devemos ter ficado em pé por três horas. A multidão empurrava e se espremia. Se é empolgante ver a rainha, imagine como será ver Cristo, o Rei!"

A Bíblia trata com naturalidade o patriarcado e a monarquia. É compreensível que essas noções apelem fortemente à imaginação daqueles que cresceram com a Bíblia. Também é natural que alguns questionem se essas são noções puramente culturais e políticas — e, portanto, puramente temporais — ou se há algo nelas que diz respeito à realidade eterna. Seriam a pompa e a cerimônia totalmente destituídas de significado, apenas relíquias excêntricas, embora interessantes, de uma era estranhamente desprovida de autocrítica? O salmista diz: "Não temas, quando alguém se enriquecer, quando avultar a glória de sua casa; pois, em morrendo, nada levará consigo, a sua glória não o acompanhará. Ainda que durante a vida ele se tenha lisonjeado, e ainda que o louvem quando faz o bem a si mesmo, irá ter com a geração de seus pais, os quais já não verão a luz. O homem, revestido de honrarias, mas sem entendimento, é, antes, como os animais, que perecem" (Sl 49.17-20).

Kipling escreveu:

O tumulto e a gritaria se desvanecem,
partem o rei e o capitão.
Teu antigo sacrifício permanece:
um humilde e contrito coração.

Em algumas semanas, você estará em casa novamente e nós teremos poucas semanas para conversar sobre seus planos de casamento, para decidir sobre coisas como a lista de convidados, o local da recepção, o menu que você deseja, além de comprar o vestido de noiva. Na biografia de seu pai, você lê as opiniões dele sobre festas de casamento: "As formalidades mais vãs e sem sentido [...] nenhum vestígio de realidade. As testemunhas se vestem para se exibir. A carne reina por toda a parte. Nós, fundamentalistas, somos um bando de gente melosa e que gosta de aparecer. [...] É apenas um enfado dispendioso". Mas ele escreveu isso quando tinha vinte e um anos. Se ele houvesse vivido mais do que os vinte e oito anos que recebeu, talvez chegasse a entender o significado desse ritual, algo totalmente estranho à sua criação.

Você quer um lindo e longo vestido branco, além do véu tradicional. Você quer música, flores e um séquito de atendentes. Não para provar que você é "gente melosa e que gosta de aparecer". Para nós, sinais e sons, símbolos e movimentos, fazem parte da adoração e da celebração, e você quer que seu casamento seja cheio de sinais visíveis, tangíveis e audíveis do significado invisível e transcendente.

Acaso a pompa seria incompatível com a humildade? Você ouviu o que C. S. Lewis disse em seu *Preface to Paradise Lost*:

> Acima de tudo, é preciso livrar-se da ideia medonha, fruto de um disseminado complexo de inferioridade, de que a pompa nas ocasiões adequadas tenha qualquer ligação com vaidade ou presunção. Um celebrante aproximando-se do altar, uma princesa sendo conduzida pelo rei para dançar um minueto, um oficial-general em um desfile cerimonial, um mordomo precedendo a cabeça do

javali em um festival natalino — todos esses usam roupas incomuns e se movem com calculada dignidade. Isso não significa que sejam vaidosos, e sim que são obedientes; eles obedecem ao *hoc age* que preside toda solenidade. O hábito moderno de fazer coisas cerimoniais sem cerimônia não é prova de humildade; antes, prova a incapacidade de o transgressor esquecer-se de si mesmo durante o rito e sua prontidão em estragar, para todos os demais, o apropriado prazer do ritual.[16]

Parece-me que a aceitação de uma ordem universal molda a imaginação e prepara o terreno para a apreciação da cerimônia. Vemos na ordem terrena um reflexo da celestial. Encontramos nas cerimônias tradicionais a ocasião para nos submetermos às verdades maiores que elas representam. Seu casamento não será apenas uma desculpa para reunir todos os nossos amigos e parentes para "compartilhar a nossa alegria" (como dizem timidamente alguns dos convites de casamento pouco cerimoniosos de hoje em dia) na união entre você e Walt particularmente, mas uma celebração do matrimônio, de uma instituição ordenada por Deus na criação do homem, a qual deve ser iniciada tanto com solenidade como com alegria. A cerimônia fornece a forma, o ritual que (para citar Lewis novamente) "torna

---

16 C. S. Lewis, *A Preface to Paradise Lost* (New York: Oxford University Press, 1961), 17.

os prazeres menos fugidios, [...] que entrega ao sábio poder do costume a tarefa (para a qual o indivíduo e suas variações de ânimo são tão inadequados) de ser festivo ou sóbrio, alegre ou reverente, quando escolhermos sê-lo e não ao acaso".

38
AUTORIDADE

Há nas entranhas de cada um de nós uma forte resistência, que, em última instância, equivale a ódio pela autoridade. Nós nos contorcemos sob ela. "Ninguém vai me dizer o que fazer. Farei o que eu quiser." "Quem ele pensa que é?"

Mas o mundo não funciona sem autoridade. Alguém tem de nos dizer o que fazer. A questão não é quem esse alguém pensa que é, mas quem ele representa. Um soldado presta continência ao uniforme, não ao homem — pois, seja tal homem superior a ele em outros aspectos ou não, no exército ele representa certo nível de autoridade. Foi-lhe dada a patente. Sua patente não prova que ele é mais alto, mais legal, mais forte, ou mais inteligente do que o homem que lhe presta continência. De alguma forma, entretanto, ele conquistou a sua patente.

Aqueles que se chamam cristãos são um povo que aceitou a autoridade. Eles creram na avaliação que Deus tem a seu respeito e receberam o remédio divino com base na autoridade da Bíblia. Jesus disse: "Toda autoridade me foi dada"; e, ao chamar discípulos, ele os chamou a fazer três coisas: negar a si mesmos, tomar a sua cruz e segui-lo. É impossível fazer essas coisas sem reconhecer a autoridade. No Evangelho de Mateus, há uma história sobre um centurião cujo servo estava paralisado em casa, em terrível sofrimento. Jesus se ofereceu para ir e curá-lo, mas o centurião lhe pediu apenas para dizer uma palavra e ele tinha certeza de que seu servo seria curado. "Pois também eu sou homem sujeito à autoridade, tenho soldados às minhas ordens e digo a este: vai, e ele vai; e a outro: vem, e ele vem; e ao meu servo: faze isto, e ele o faz." Foi sua própria experiência de autoridade que o capacitou a entender a autoridade — ou seja, o poder — da palavra falada por Jesus, e o Senhor disse que nem mesmo em Israel encontrara tamanha fé. Em resposta à fé do homem, Jesus falou a palavra e o servo foi curado.

Para exercer autoridade, é necessário obedecer à autoridade. O centurião declarou que era um homem "sujeito à autoridade", com soldados sob ele. Ele respeitou a autoridade de Jesus e se submeteu a ela em fé.

A fim de sermos discípulos, devemos negar a nós mesmos — o que significa exercer autoridade sobre nosso próprio espírito. Devemos tomar a cruz — o que significa submeter-nos à autoridade de Cristo. E devemos seguir — o que significa prestar obediência contínua. Esse é o caminho não para o confinamento, para a escravidão, para um desenvolvimento atrofiado ou interrompido, mas para a plena liberdade pessoal. Não significa morte, mas vida; não uma vida escrupulosamente restrita, mas vida "abundante". O portão é estreito, mas não a vida. O portão se abre para uma imensidão de vida. Sabemos que há também um caminho amplo. E sabemos para onde ele conduz — à destruição.

Aceitar a hierarquia divinamente ordenada significa aceitar a autoridade — antes de tudo, a autoridade de Deus, depois as autoridades inferiores que ele ordenou. O marido e a esposa estão ambos sob a autoridade de Deus, mas a posição de cada um não é a mesma. A esposa deve submeter-se ao marido. A "patente" do marido lhe é dada por Deus, assim como as posições dos anjos e dos animais são atribuídas, e não escolhidas nem conquistadas. O homem maduro reconhece que não conquistou nem mereceu seu lugar por inteligência, virtude, força ou amabilidade. A mulher madura reconhece que a submissão é a vontade de Deus para ela e que obedecer a essa vontade não é, para ela, um sinal de fraqueza, assim como não o foi para o Filho do Homem quando disse: "Eis aqui estou para fazer, ó Deus, a tua vontade".

39
SUBMISSÃO

"Simplesmente não suporto a ideia de ser um capacho", disse Jo quando tentei falar com ela sobre o princípio bíblico de governo e submissão. Ela está prestes a se divorciar, pois está determinada a encontrar a liberdade, e seu casamento, diz ela, não é um negócio meio a meio, como ela acha que deveria ser. Ela foi ludibriada pela afirmação de que qualquer tipo de submissão é escravidão. Sim, muitos males têm sido cometidos na sociedade. Sim, concordo que os homens não devem oprimir uns aos outros. Sim, é verdade que alguns homens têm tratado as mulheres como capachos. Não, um marido não recebe a ordem de ser dominador, tampouco a esposa, de ser servil. Tem havido muitas formas de escravidão humana, e o cristão deve ser o primeiro a deplorá-las e corrigi-las. Jesus veio para libertar cativos.

Mas submissão à autoridade dada por Deus não é cativeiro. Quisera eu ter conseguido ajudar Jo a enxergar isso! Mas, quando perguntei o que ela achava que deveria distinguir um casamento cristão de todos os demais, ela respondeu: "Igualdade". A igualdade é, por um lado, uma impossibilidade humana no casamento. Quem está em posição de dividir todas as tarefas de acordo com preferência ou competência? "Se eu gosto, faço", disse Jo, "e sou eu quem deveria fazê-lo. Se eu não gosto, então Bill que faça. Se ele também não gostar, então dividiremos ao meio". Parece correto, a princípio. Certamente, é assim que muitas coisas são feitas em qualquer família, suponho, e eu não diria que é errado. Mas acaso existe uma família verdadeiramente feliz cujos membros fazem apenas o que gostam e nunca fazem com alegria algo de que não gostam? É uma visão ingênua da natureza humana presumir que dois iguais possam revezar-se entre liderar e ser liderados, e possam, por serem "maduros", viver sem hierarquia. O bom senso tem ensinado às mulheres em todas as sociedades e em todas as eras que o cuidado do lar depende delas. Os homens têm sido os provedores. Certamente, há circunstâncias em nossa complexa sociedade moderna que exigem adaptações. Conheço muitas esposas de seminaristas que precisam trabalhar para pagar as mensalidades do marido e as compras no supermercado. Obviamente, os maridos precisam fazer parte das tarefas domésticas e do cuidado dos filhos. Esse é um expediente temporário, e a maioria deles, maridos e esposas, anseia pelo dia em que as coisas voltarão ao normal.

SUBMISSÃO

Se nos tornamos tão maduras e de mente aberta, tão flexíveis e liberadas, a ponto de os mandamentos bíblicos dirigidos às esposas — "ajustem-se", "submetam-se", "sujeitem-se" — perderem seu significado; se a palavra *cabeça* já não carrega mais qualquer conotação de autoridade e *hierarquia* e passou a significar tirania; então, afogamo-nos na torrente da ideologia da liberação.

Eu disse a Jo e digo a você o mesmo que Paulo disse aos cristãos romanos: "Não se deixe ser espremida para caber no molde do mundo à sua volta; em vez disso, deixe Deus remodelar sua mente de dentro para fora" (Rm 12.2, paráfrase). Deus deseja que sejamos plenas, seguras e fortes; e uma das maneiras de encontrarmos essa plenitude, essa segurança e essa força é nos submetermos às autoridades que ele colocou sobre nós. (A questão da autoridade política, à qual a Bíblia também diz que devemos nos submeter, torna-se extremamente complicada e dolorosa para alguns. Nos tempos modernos, Dietrich Bonhoeffer, Corrie ten Boom e sua família, além de Richard Wurmbrand, tiveram de se debater com isso. Não está no escopo destes escritos discutir essa questão, mas faço menção para evitar que alguém pense que eu tendo a simplificá-la demais e que eu usaria os mesmos argumentos para defender, por exemplo, a escravidão.)

Submissão por causa do Senhor não equivale a subserviência. Não conduz a autodestruição ou sufocamento dos dons, da personalidade, da inteligência ou do espírito.

Se a obediência em si exigisse um suicídio da personalidade (como afirma certo autor), teríamos de concluir que a obediência a Cristo exige o mesmo. Porém, as promessas que ele nos deu dificilmente apontam para a autodestruição: "Eu vos aliviarei"; "A minha paz vos dou"; "Eu vim para que tenham vida e a tenham em abundância"; "Quem crê em mim tem a vida eterna"; "Aquele, porém, que beber da água que eu lhe der nunca mais terá sede"; "Quem perder a vida por minha causa achá-la-á"; "Vosso Pai se agradou em dar-vos o seu reino".

Deus não está pedindo a ninguém para se tornar um zero à esquerda. Qual foi o desígnio do Criador em tudo que ele fez? Ele quis que tudo fosse bom, ou seja, perfeito, exatamente como ele quis dizer, livre para ser aquilo que ele pretendia que fosse. Ao ordenar a Adão que "sujeitasse" e "tivesse domínio sobre" a terra, ele não estava ordenando que destruísse seu significado ou existência. Podemos dizer que ele estava "orquestrando", atribuindo liderança a um, subjugando a outros, a fim de produzir harmonia completa para sua glória.

Para quem não foi criado em um lar disciplinado, deve ser muito difícil aprender a relação entre autoridade e amor, pois, para essas pessoas, a autoridade terá sido associada a elementos fora do lar, como a lei civil. Nós, porém, temos um Deus amoroso que organizou tudo não apenas para o nosso "melhor interesse" (nem sempre estamos desejosas de receber o que é "para o nosso próprio bem"), mas para a liberdade e para a alegria. Quando Deus criou Eva, foi porque, sem ela, o Jardim do Éden teria sido uma prisão de solidão para Adão. Não era bom que ele estivesse só, e foi para libertá-lo daquela prisão e lhe trazer liberdade e alegria que Deus lhe deu uma mulher. A liberdade e a alegria de Eva deveriam consistir em ser o complemento de Adão.

Quando Paulo fala da submissão feminina, baseia seu argumento na ordem da criação. A mulher foi criada do homem e para o homem. Naturalmente, segue-se que ela teve de ser criada após o homem. A posição cronológica secundária da mulher não necessariamente prova (a despeito do que dizem Richard Hooker e outros) uma inteligência inferior. Mas quem descarta a possibilidade de haver diferença de dons intelectuais entre homem e mulher não está levando em consideração todos os dados. Há algumas estatísticas intrigantes que indicam razões biológicas para essas diferenças. Homens parecem mais bem equipados para lidar com abstrações de alto nível. Uma demonstração disso é o fato de que, embora, atualmente, haja oitenta e dois grão-mestres no xadrez, nenhum deles é mulher. Dos quinhentos maiores jogadores de xadrez da história, nenhum deles foi mulher, embora milhares de mulheres, principalmente na União Soviética, joguem xadrez.

Li sobre isso em um livro chamado *The Inevitability of Patriarchy*, de Steven Goldberg. Goldberg faz um esforço imenso para mostrar que não está sugerindo de forma alguma que os homens sejam em tudo superiores às mulheres. Eles são *diferentes*, e essas diferenças são determinadas por fatores hormonais.

> É necessário ressaltar novamente que não há razão para crer que haja diferenças sexuais em todos os inúmeros aspectos da inteligência. Considerar a capacidade de teorizar uma demonstração de inteligência superior à percepção ou à perspicácia é algo tão trapaceiro quanto considerar a força física um indicador de boa saúde mais importante do que a longevidade.[17]

Para o cristão, as estatísticas de Goldberg são interessantes. Mais ainda para o cristão que crê em uma ordem hierárquica, pois, embora acreditemos que a ordem patriarcal tradicional não é meramente cultural e sociológica, encontrando seu fundamento, antes de tudo, na teologia, é interessante descobrir que também tem um fundamento biológico válido.

Há um princípio espiritual envolvido aqui. Trata-se da vontade de Deus. De Gênesis a Apocalipse, inúmeras histórias do trato de Deus com os seres humanos nos mostram que a vontade dele é torná-los livres, dar-lhes alegria. Às vezes, o processo de libertá-los é doloroso.

---

17 Steven Goldberg, *The Inevitability of Patriarchy* (New York: William Morrow & Company, Inc., 1973), 198.

SUBMISSÃO

Significou morte para o Filho do Homem — a vida dele pela nossa. Ele não veio para condenar, nem para prender ou para escravizar. Ele veio para dar vida.

E é a vontade de Deus que a mulher seja submissa ao homem no casamento. O casamento é usado no Antigo Testamento para expressar a relação entre Deus e seu povo da aliança e, no Novo Testamento, entre Cristo e a igreja. Nenhum esforço para acompanhar os tempos e para se conformar aos movimentos sociais modernos ou aos cultos da personalidade nos autoriza a inverter essa ordem. Tremendas verdades celestiais são demonstradas na sujeição da esposa ao marido, e o uso dessa metáfora na Bíblia não pode ser acidental.

40
RESTRIÇÃO DE PODER

Um dos propósitos de Deus em organizar as coisas da forma como fez é restringir o poder. Homens e mulheres recebem tipos especiais de poder, e cada tipo precisa ser especificamente restringido. Aos maridos, que devem tomar a iniciativa, comandar e dominar, Deus ordena especificamente que amem suas esposas. Não é um tipo comum de amor que está em vista aqui. Eles devem amá-las de duas maneiras — primeiro, "como também Cristo amou a igreja", o que significa entrega. Nenhum homem que estabeleça isso como seu princípio primordial tomará a iniciativa, comandará ou dominará de forma a engrandecer a si mesmo. Sua aceitação da autoridade que Deus lhe deu é sua obediência a Deus. Sua aceitação da maneira como essa autoridade deve ser exercida provará seu amor pela mulher.

Em segundo lugar, ele deve amar sua esposa "como ao próprio corpo", o que significa que deve nutri-la e apreciá-la. Isso também é como Cristo. A igreja *é* o seu corpo. O amor de Cristo pela igreja é um amor que nutre e aprecia, um amor que assume a responsabilidade de cuidar dela.

Você já pensou nas regras de cortesia e cavalheirismo como sendo, em sua essência, baseadas nesse princípio cristão? Seu noivo, consciente de ter maior força física e da obrigação de cuidar de você, abre portas para você, anda pelo lado de fora da calçada, ajuda-a a pôr o casaco, fica de pé quando você entra no recinto. Você, permitindo que ele a aprecie, aceita essas cortesias com graciosidade, vendo nelas muito mais do que a pura etiqueta social que, em nossos dias, é frequentemente desprezada como uma tola fabricação de distinções que não deveria haver entre as pessoas.

Assim como o poder do homem sobre a mulher é restringido pelo amor, o poder da mulher sobre o homem é restringido pelo mandamento da submissão. Toda mulher sabe que dispõe de meios para conseguir o que quer. Não é a força física que é mais poderosa. Não é a capacidade de lidar com abstrações de alto nível. Ela pode ser tão ou mais inteligente que o marido, e pode ter mais dons que ele. Quer seja esse o caso ou não, ela também tem "artimanhas", poder emocional e poder sexual. Tais coisas devem ser contidas. O tipo de restrição que Deus requer dela é a submissão.

João Calvino escreveu:

> Deus é a Fonte de ambos os sexos. Por isso, ambos devem humildemente aceitar e preservar a

condição que lhes foi designada por Deus. Que o homem, pois, exerça sua autoridade com moderação. [...] Que a mulher viva contente com sua posição de submissão. [...] Caso contrário, ambos se livrariam do jugo do Deus que fez tais diferenças em suas posições visando a que as mesmas lhes fossem benéficas.[18]

Paulo também nos lembra de que devemos nos submeter uns aos outros. Certamente há momentos em que o marido cristão, ao amar sua esposa como Cristo amou a igreja, submete-se aos desejos dela. O amor é incapaz de não presentear e, com frequência, a dádiva consiste em renunciar às próprias preferências. Ao fazer isso, o marido não está reconhecendo a autoridade de sua esposa; ele está entregando sua vida.

---

18 João Calvino, *Comentário de 1 Coríntios* (São José dos Campos: Fiel, 2013), 389].

41
FORÇA POR MEIO DAS RESTRIÇÕES

Por ter-me ouvido falar tanto sobre essa necessidade das restrições para se ter liberdade, você me enviou esta citação da *Poética musical*, de Stravinsky. Essa citação expressa, na linguagem de um músico, a verdade sobre a qual venho falando:

> É nesse terreno que aprofundarei minhas raízes, plenamente convencido de que combinações que têm a seu dispor doze sons em cada oitava e todas as possibilidades rítmicas me prometem riquezas que toda a atividade do gênio humano jamais será capaz de exaurir. [...]
> Não tenho uso para uma liberdade teórica. Deem-me algo de finito, definido — matéria que pode prestar-se à minha operação apenas na medida em que é proporcional às minhas possibilidades. [...]
> Em arte, como em tudo o mais, só se pode construir sobre uma fundação resistente: aquilo que

cede constantemente à pressão acaba por tornar o movimento impossível. [...]

Minha liberdade será tanto maior e mais significativa quanto mais estritamente eu estabelecer meu campo de atuação, e mais me cerco de obstáculos. Tudo o que diminui a restrição diminui a força. Quanto mais restrições nos impusermos, mais libertamos nossa personalidade dos grilhões que aprisionam o espírito.

"É evidente" — escreve Baudelaire — "que a retórica e a prosódia não são tiranias inventadas arbitrariamente, mas uma coleção de regras exigidas pela própria organização da realidade do espírito, e jamais a prosódia e a retórica impediram a originalidade de manifestar-se plenamente. O contrário, isto é, que contribuíram para o florescimento da originalidade, seria infinitamente mais verdadeiro".[19]

O amor entre um homem e uma mulher adquire um poder incomensurável quando colocado sob a restrição divina de que temos falado. Um rio que corre por uma fenda, por entre um elevado muro rochoso, move-se com uma concentração de forças que se dissipa tão logo ele atinge a planície.

---

19 Igor Stravinsky, *Poética musical (em 6 lições)*. Trad. de Luiz Paulo Horta (Rio de Janeiro: Zahar, 1996), 64-65].

E, se a retórica e a prosódia não são tiranias arbitrariamente inventadas, mas "uma coleção de regras exigidas pela própria organização da realidade do espírito", não podemos crer também, sem dificuldade, que as restrições impostas ao casamento cristão respondem à organização dessa mesma realidade espiritual? Que essas restrições jamais impedirão a originalidade e a personalidade de se manifestarem? E que a mais perfeita liberdade será obtida por meio do que a mente carnal julga serem obstáculos?

"Porque o mandamento é lâmpada, e a instrução, luz; e as repreensões da disciplina são o caminho da vida" (Pv 6.23).

MESTRAS DE NÓS MESMAS

"Faze-nos mestres de nós mesmos", escreveu o reformador do sistema prisional Sir Alexander Paterson, "para que sejamos servos dos demais".

Precisamos falar sobre autodisciplina de novo. Sempre retornamos a ela e continuaremos retornando enquanto vivermos, sejam quais forem as lutas que tivermos de suportar. "A estrada é íngreme durante todo o tempo?", pergunta o poema de Christina Rosetti. E a resposta é: "Sim, até o fim".

Não se pode crer que uma mulher que não tenha aprendido a dominar a si mesma vá se submeter voluntariamente ao marido. E essa palavra, *voluntariamente*, significa que ela não se resigna meramente a algo que não pode evitar. Significa que, por um ato de sua própria vontade, ela se entrega. Ela se submete com alegria, pois entende que a submissão voluntária é sua própria força. Uma vez que se trata daquilo que o seu Criador lhe requereu, é aquilo mesmo que lhe assegura a sua realização. É a execução voluntária dessa tarefa que lhe foi atribuída que, de fato, fortalece o marido em sua fraqueza.

O marido fortalece a esposa na fraqueza dela, obedecendo à ordem de ordenar. Mas, em primeiro lugar, ele também deve dominar a si mesmo. George MacDonald assinala que alguém determinado não é alguém teimoso. Uma criança teimosa deseja tudo à sua maneira. A vontade dela nunca foi exercida contra si mesma. A pessoa determinada deseja contra si mesma, escolhe o que não escolheria naturalmente, recusa aquilo que naturalmente escolheria. Muitos homens protestam que não é de sua natureza dominar. Muitos consideram suas esposas superiores a eles em inteligência, força de caráter, resistência física ou discernimento espiritual, e usam isso como uma desculpa para deixá-las liderar. Mas os papéis conjugais não são atribuídos com base em capacidade. Eles foram determinados no início da criação para serem o papel de um homem e o papel de uma mulher e, novamente, não somos livres para manipulá-los, violá-los ou invertê-los.

É preciso ter autodisciplina e humildade para fazer seu trabalho. Podemos estar certas de que o Deus que deu a ordem nos proverá de forças para executá-la. Nenhum homem tem em si mesmo força suficiente para ser propriamente o cabeça de sua esposa. Nenhuma mulher pode submeter-se devidamente à liderança dele. Isso requer graça — e a graça é um dom, mas devemos usar os meios de graça. A autodisciplina ajuda. A oração ajuda. Cristo, que é o cabeça de todos nós, está pronto para ajudar qualquer homem ou mulher que lhe peça.

UM UNIVERSO DE HARMONIA

Nas minhas noites aqui no chalé em Cape Cod, tenho lido um livro sobre este lugar; *The Outermost House*, de Henry Beston. Ele descreve, em uma linguagem primorosa, o ano que passou na Grande Praia de Cape Cod, sozinho, em uma casa nas dunas com vista para o Atlântico. A beleza, a força e o terror da natureza são descritos com profunda compreensão.

> Muitas forças convergem quando irrompe uma tempestade — o poderoso ritmo terreal das ondas, a violência do vento, a luta da água para obedecer à sua própria lei natural. Da tempestade no mar, vêm os colossos, os quais, sendo colossos, fazem longas viagens, colidindo primeiro com a barreira externa. Em seguida, lançam-se rumo à costa, rompendo tudo pelo caminho. Ao tocarem a praia, eles tombam com um rugido perdido em meio ao som generalizado da tempestade. Esmagada pelo vento

e continuamente agitada, elevada e lançada para baixo pelas correntes que se aproximam, a água em alto-mar adquire um furioso aspecto vítreo de espumas marmoreadas; selvagens e velozes jatos de água erguem-se a quinze metros de largura; jorra água misturada com areia.

Sob tudo isso, movem-se furiosas correntes marítimas, a ressaca costeira nas extremidades de Cape Cod. Aqui, as correntes costeiras se movem na direção sul; velhos destroços de madeira flutuante estão sempre sendo carregados do norte para cá. Com frequência, amigos da guarda costeira veem uma caixa ou um bordão que recuperei e dizem: "Vi isso há duas semanas, perto do farol".[20]

Beston fala da obediência maravilhosa de cada aspecto da criação — os ventos, as marés, as migrações de pássaros, o ritmo e o jogo de luzes, os sons, as fragrâncias e cores, todos movendo-se em perfeita harmonia, como se estivessem sob o comando de uma batuta invisível. Um dos mais estranhos fenômenos descritos é a migração dos sáveis, peixes semelhantes ao arenque que os indígenas costumavam usar para fertilizar suas plantações de milho.

Esses sáveis de Weymouth se enxameiam do mar e só Deus sabe de que mar eles vêm. Eles sobem o

---

[20] Henry Beston, *The Outermost House* (New York: Rinehart and Company, 1928), 56, 57, 161-163, 166, 167.

ribeiro de Weymouth e, impedidos por uma represa de continuar, são pescados em uma rede, despejados em barris de água e carregados por terra em um caminhão até o viveiro de Whitman.

Eu os observava seguirem as correntes dentro do viveiro, após terem sido derramados ali. Depois, talvez, lhes sobrevém uma sensação de ser chegado o tempo previsto; cada fêmea põe de sessenta a cem mil ovos viscosos, os quais caem no fundo, vagueiam pela lama, deslizam e se agarram conforme queira o acaso. Então, as fêmeas em desova e os machos passam pela represa e voltam ao mar; dez meses ou um ano depois, os arenques nascidos no viveiro os seguem; e, então, chega outra primavera e, com ela, um grande mistério. De qualquer lugar nas profundezas do oceano, cada peixe nascido em Weymouth se lembra do viveiro de Whitman e se dirige para lá por invisíveis léguas submarinas. O que se passa naqueles cérebros frios? Que chamado os agita quando o novo sol desponta sobre a vastidão do oceano? Como cada criatura encontra seu caminho? As aves migratórias têm por referência paisagens, rios e formações geográficas na costa — mas os peixes, o que eles têm? No presente, porém, os peixes estão "de volta ao lar" em Weymouth, nadando contra as cheias de primavera rumo ao lago ancestral.

> Que ardor imenso, irresistível, implacável e intenso da natureza pelo movimento da vida! E todas essas suas criaturas, que dores de parto, que fome e frio, que luta dolorosa e lenta eles não suportarão para cumprir o propósito da terra? E que deliberação humana e consciente pode igualar essa vontade impessoal e coletiva de render a própria vida à vontade da vida universal?[21]

Ventos e ondas, marés e tempestades, as migrações de pássaros e peixes são elementos do compasso, da ondulação e do ritmo que subjazem à maravilhosa harmonia do universo. Temos falado sobre a primeira coisa que faz o casamento funcionar — a aceitação da hierarquia divina —, que é, penso, outro aspecto dessa harmonia. O homem e a mulher, ao se reconhecerem como coerdeiros da mesma *graça de vida*, movem-se no ritmo do compasso, aceitando seus limites, assim como fazem as ondas, entregando cada um a própria vida à Vontade da Vida Universal (termo que Henry Beston não pôs em maiúsculas), movendo-se sempre em direção à mais sublime realização e à mais sublime alegria — a música perfeita —, que é a vontade de Deus.

---

21 Ibid.

44
SEJA UMA MULHER DE VERDADE

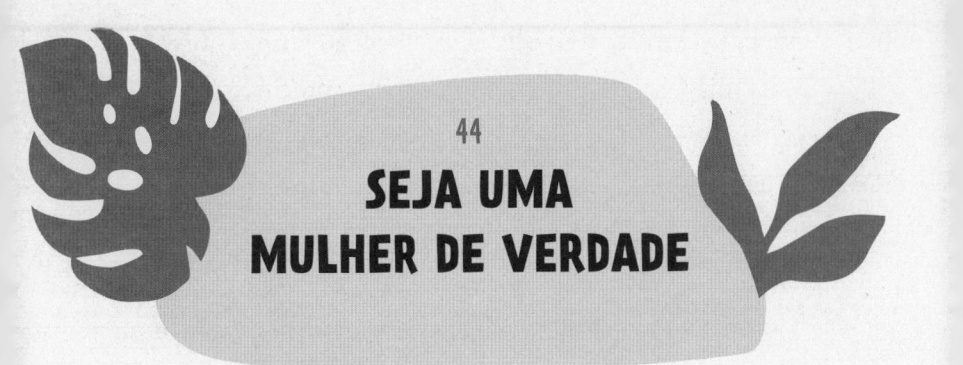

A segunda coisa que faz um casamento dar certo, o elemento mais explosivamente perigoso em nossa natureza humana, a fonte do maior dos prazeres terrenos — até mesmo, em minha opinião, da maior *diversão* —, aquilo que você se perguntava quando eu finalmente começaria a discutir, é o sexo.

O que uma mulher de verdade deseja é ter um homem de verdade. O que um homem de verdade deseja é ter uma mulher de verdade. É a masculinidade que atrai uma mulher. É a feminilidade que atrai um homem. Quanto mais feminina você for, mais viril seu marido desejará ser. O filósofo russo Berdyaev disse: "A ideia de emancipação feminina se baseia em uma profunda inimizade entre os sexos, na inveja e na imitação. A mulher se torna uma mera caricatura, uma essência falsa".

Para o cristão que entende o propósito de Deus, não pode haver inimizade, inveja ou desejo de imitação. Tanto homens como mulheres aceitam plenamente sua essência como aquela que Deus criou ao fazer o homem à sua imagem, tanto o sexo masculino como o feminino. Lamentavelmente, algumas pessoas confusas opõem-se ao uso da palavra *homem* para incluir ambos os sexos, porém até mesmo um estudo superficial da linguagem os livraria da suspeita de que haja nisso um viés "sexista". "Homem" inclui tanto homem como mulher, a mesma humanidade expressa sob duas modalidades distintas, e cada um deve reconhecer e aceitar a plenitude de sua humanidade sob a modalidade que lhe foi atribuída. Não somos chamados, de alguma forma, a "superar" nossa sexualidade. Nós a afirmamos. Nós nos alegramos nela. Nós procuramos ser fiéis a ela ao tentarmos usá-la como uma dádiva de Deus. Infidelidade ao próprio sexo é infidelidade ao mundo inteiro, pois uma mulher deve ser mulher tanto em seu relacionamento com os homens como com as outras mulheres. O homem deve ser totalmente homem em seu relacionamento com as mulheres e com outros homens. O marido que não é fiel à sua masculinidade defrauda a esposa, e o inverso é igualmente verdadeiro. Essa fidelidade de que falo é a nossa resposta ao chamado de Deus. Um é chamado para ser homem; a outra, chamada para ser mulher. E ambos tornam-se uma só carne e, nela, como uma só carne, tornam-se um com Deus.

Em cada sociedade, tem havido certas expectativas consideradas aplicáveis a cada sexo. Obviamente, essas expectativas podem variar segundo as diferentes épocas e os diferentes lugares, mas a distinção entre masculinidade e feminilidade tem sido uma constante ao longo da história. Apenas em nossa sociedade, tem havido a tentativa de apagar essa distinção, de encorajar as mulheres a fazerem o que os homens fazem. O trabalho do homem, por mais enfadonho, desagradável ou difícil que seja, é geralmente considerado mais valioso que o das mulheres. "Oportunidades iguais" quase sempre implica que as mulheres querem fazer o que os homens fazem, não que os homens querem fazer o que as mulheres fazem — o que indica que o prestígio está atrelado ao trabalho masculino, mas não ao feminino. O trabalho feminino — em especial a tarefa atribuída pela criação exclusivamente às mulheres, a de gerar e criar filhos — é considerado não apenas algo de menor valor, mas até mesmo degradante e "animalesco". Essa é uma medonha distorção da verdade e uma tentativa de julgar as mulheres segundo critérios masculinos, de forçá-las a um molde alheio, de roubá-las dos próprios dons que as tornam o que elas foram criadas para ser. Sujeitar a feminilidade aos critérios da masculinidade é tão tolo quanto seria julgar a carne pelos padrões das batatas. A carne seria reprovada em todos os quesitos. Para as mulheres, assumir um arremedo de masculinidade significa que elas sempre perderão.

Você, Valerie, é uma mulher, pela graça de Deus. Isso significa que você tem responsabilidades. Você é plenamente mulher, e isso significa que tem privilégios. Você é apenas uma mulher, o que significa que tem limitações. Walt é um homem, é plenamente homem e é apenas um homem. Agradeça a Deus por isso, e aproveite ao máximo!

45
A CORAGEM DO CRIADOR

No conto "The Deluge at Norderney" ["O Dilúvio em Norderney"], de Isak Dinesen, são apresentadas quatro pessoas isoladas no sótão de um celeiro, durante uma enchente. Há um cardeal, uma senhora solteira, um rapaz e uma moça, todos desconhecidos uns dos outros. A enchente está avançando e eles sabem que aquela é sua última noite. O cardeal celebra o matrimônio do jovem casal e, então, se senta com a senhora para conversar.

Consideremos a lição que esses amantes nos ensinam, acima e antes de tudo, sobre a tremenda coragem do Criador deste mundo", diz o cardeal. "Acredito que todo ser humano, por vezes, alimenta a ideia de como seria se ele próprio criasse um mundo. O papa, de maneira lisonjeira, encorajou-me estes pensamentos quando eu era um jovem rapaz. Na época concluí que, se tivesse recebido onipotência e carta branca, eu poderia ter criado um mundo excelente. Poderia, de mim mesmo, conceber as árvores e os rios, as diferentes escalas musicais, a amizade e a inocência; mas dou-lhe minha palavra de honra que não ousaria organizar esses assuntos de amor e casamento da forma como eles são, e meu mundo teria perdido lamentavelmente com isso. Que lição impressionante para todos os artistas! Não tenha medo do absurdo; não fuja do fantástico. Dentro do dilema, escolha a solução mais inédita e perigosa. Seja valente, seja valente! Ah, madame, temos muito o que aprender.[22]

E o cardeal mergulhou em pensamentos profundos.
Quem de nós, dada a oportunidade de organizar o mundo à nossa maneira, teria os poderes imaginativos do cardeal, muito menos os de Deus? Quem de nós jamais teria tido a coragem do Criador ao conceber a ideia do sexo? Não podemos supor que ele tenha negligenciado as alternativas, as armadilhas, os altos riscos que o acompanhariam. Ele viu tudo isso. E, mesmo assim, criou uma mulher idônea, adequada em todos os sentidos, para o homem.

"Toda boa dádiva e todo dom perfeito são lá do alto, descendo do Pai das luzes, em quem não pode existir variação ou sombra de mudança" (Tg 1.17).

---

22 Isak Dinesen, "The Deluge at Norderney," from *Seven Gothic Tales,* Modern Library Edition (New York: Random House, 1934), 54, 55.

Penso ser correto incluir a sexualidade como uma das boas dádivas que temos. É uma de nossas funções vitais, um fato básico da vida, sobre o qual não tivemos qualquer escolha e o qual não temos liberdade para alterar. Existe um princípio subjacente à sexualidade. O relacionamento entre marido e mulher, como já vimos, simboliza o relacionamento entre Cristo e a igreja. Dentro da família de Deus, contudo, alguns têm enxergado a sexualidade como uma distinção a ser cuidadosamente obliterada. A declaração de Paulo aos gálatas tem sido citada como prova de que não há diferença entre as respectivas posições de homens e mulheres. "Pois todos vós sois filhos de Deus mediante a fé em Cristo Jesus; porque todos quantos fostes batizados em Cristo de Cristo vos revestistes. Dessarte, não pode haver judeu nem grego; nem escravo nem liberto; nem homem nem mulher; porque todos vós sois um em Cristo Jesus" (Gl 3.26-28).

Porém, o homem que escreveu essas palavras é o mesmo que teve o cuidado de distinguir os papéis da mulher e do homem, exortando as mulheres à modéstia no vestir, ao silêncio na igreja, ao uso do véu e à submissão ao marido. Ele também foi generoso em seus elogios às mulheres que o haviam ajudado em seu ministério apostólico. Ele reconheceu que os dons espirituais haviam sido distribuídos tanto a homens como a mulheres, e estabeleceu regras para seu uso adequado. Mas ele manteve fortemente a distinção de sexos. Isso é o que importa.

Além de jamais negar as diferenças sexuais, Paulo também as enfatizou. Essa passagem em Gálatas refere-se ao que acontece a um cristão por meio do batismo. Ele se torna, seja homem ou mulher, escravo ou livre, judeu ou grego, um filho. Ele desfruta os mesmos privilégios que desfrutam todos os filhos de Deus. Mas essa "ordem da redenção" não une os dois polos nem substitui a "ordem da criação", como fica evidente na referência de Paulo a essa ordem em 1Timóteo: "A mulher aprenda em silêncio, com toda a submissão. E não permito que a mulher ensine, nem exerça autoridade de homem; esteja, porém, em silêncio. Porque, primeiro, foi formado Adão, depois, Eva" (1Tm 2.11-12).

É um tipo equivocado de "superespiritualidade" que tenta apagar todas as distinções entre os cristãos. É uma forma de escapismo, uma fuga da responsabilidade, uma séria distorção da verdade.

Agradeça ao Doador dessa grande dádiva, Valerie! Não se junte àqueles que sentem vergonha dela ou querem fazê-la esquecer-se disso. Para começar, a ideia não foi sua — foi do seu Criador, e que Criador corajoso ele é! Sua obediência a ele ajudará outras mulheres a serem mulheres, assim como os homens a serem homens.

46
O SANTUÁRIO INTERIOR

Deus não limitou a dádiva da sexualidade a quem ele anteviu que se casaria. A dádiva da relação sexual, porém, ele ordenou exclusivamente aos que se casam. Isso é inequívoco nas Escrituras. Não há exceções. Intercurso sem compromisso pleno para toda a vida é algo demoníaco. Essa suprema intimidade era misteriosa até mesmo para Paulo, que escreveu: "Os maridos devem amar a sua mulher como ao próprio corpo. [...] E se tornarão os dois uma só carne. Grande é este mistério, mas eu me refiro a Cristo e à igreja" (Ef 5.28, 31-32). (Ninguém que "odiasse mulheres" poderia ter escrito isso.)

Não se poderia encontrar linguagem mais forte para denotar a intimidade entre Cristo e sua noiva. Indubitavelmente, é por causa desses mistérios que a união física está reservada a marido e mulher, dois seres que se entregaram incondicionalmente um ao outro diante de Deus e do mundo. Eles adquirem um "conhecimento" que a ninguém mais é dado conhecer. É o santuário interno do conhecimento humano. "E Abraão conheceu sua mulher."

Não vou lhe dizer onde, como ou quando fazer. Não vou lhe dizer o que vestir. Como você sabe, inclino-me a ser técnica demais. Em uma das minhas aulas de grego na faculdade, tive um colega que resmungava sempre que discutíamos longamente sobre alguma partícula ou modo em uma passagem do Novo Testamento: "Se você for técnica demais, vai perder a bênção". Se é assim com o grego neotestamentário, também o é com o sexo. Tenha cuidado com livros que ensinam como fazer. Há um perigo na análise. Você não pode apreender o significado de uma rosa despedaçando-a. Você não pode examinar um carvão em brasa carregando-o para longe do fogo. Ele morre no processo. Há algo mortal na implacável investigação científica sobre a mecânica da atividade sexual — as luzes, as câmeras, os órgãos e instrumentos artificiais, os observadores que tomam notas e os relatórios assustadoramente detalhados que eles publicam para o deleite do mundo — isso para não falar dos voluntários que participam dos experimentos coletivos, exibindo-se de bom grado pela causa da ciência e reduzindo essa preciosa dádiva não apenas à banalidade, mas a uma função corporal tão destituída de sentido para o ser humano quanto para o animal.

Somos lembrados de que é tudo "perfeitamente natural" e, portanto, supostamente se segue o fato de que mistério, silêncio e privacidade sejam de todo descabidos. Nós já superamos tudo isso. Fomos liberados. Temo que essa liberação não seja liberdade, mas uma nova e demoníaca escravidão. Ao jogarmos fora tudo aquilo que protegia seu significado, jogamos fora também a coisa em si. O que antes era de valor inestimável tornou-se, agora, o artigo mais barato do mercado.

George Steiner escreveu:

> As relações sexuais são, ou deveriam ser, uma das fortalezas da privacidade, o lugar noturno onde nos deve ser permitido reunir os elementos fragmentados e acossados de nosso consciente em uma espécie de ordem e repouso.
>
> Os novos pornógrafos subvertem esta última e vital privacidade; eles imaginam por nós. Retiram as palavras que eram da noite e gritam-nas por sobre os telhados, esvaziando-as. As imagens de quando fazemos amor e os balbucios de que nos servimos na intimidade já vêm embalados. [...] Nossos sonhos são postos à venda por atacado.[23]

É possível comprar livros didáticos, diagramas e fotos de técnicas sexuais em alta resolução. Espera-se que sejamos uma nação de virtuosos na cama.

---
23 George Steiner, *Linguagem e silêncio: ensaios sobre a crise da palavra*. Trad. de Gilda Stuart e Felipe Rajabally (São Paulo: Companhia das Letras, 1988), 98-99.

Ontem, Jo e eu fomos a Provincetown. Sentamo-nos a uma mesa sombreada por guarda-sóis na calçada e assistimos ao desfile de uma humanidade abatida, desgrenhada e seminua misturando-se, sacudindo-se e arrastando-se pela calçada em busca de diversão. Supõe-se que a nudez não devesse mover o ser humano. Pede-se que contemplemos sem choque, até mesmo sem surpresa, a exposição quase total de todas as formas e tamanhos físicos concebíveis. Mas eu não *quero* olhar para a nudez sem emoção. Quero que ela seja reservada para realçar — e não exposta para destruir — a profundeza da experiência individual. Sinto que estou sendo roubada dos incalculavelmente valiosos tesouros da delicadeza, do mistério e da sofisticação. A modéstia era um sistema de proteção. Mas os alarmes foram todos desligados. A casa está aberta aos saqueadores.

A distinção entre intimidade e transparência é totalmente eliminada. A moda da "autenticidade" e do "compartilhamento" tem feito seu pernicioso trabalho. Já não há mais um senso do que é apropriado em cada ocasião. Exibe-se o que deveria ser escondido. Grita-se o que deveria ser sussurrado ou coberto pelo silêncio. Lança-se na via pública o que deveria ser guardado para a ocasião, o lugar e o indivíduo apropriados.

Sexo não é a coisa mais importante para fazer um casamento dar certo. Mas é, sim, algo importante. Não tem autoridade em si mesmo. Não pode conduzir-nos à liberdade. Não deve nos dominar. Finalmente, não pode satisfazer plenamente. Até mesmo nos maiores êxtases de amor, o amante sabe que aquilo não é tudo que existe. Nem mesmo a proximidade mais próxima é próxima o bastante. A relação "eu-tu" que pensávamos ser definitiva nos leva, em última instância, àquele outro Tu. É a vontade de Deus que conduz à liberdade. É a vontade de Deus que satisfaz plenamente. "Ora, o mundo passa, bem como a sua concupiscência; aquele, porém, que faz a vontade de Deus permanece eternamente" (1Jo 2.17).

Porém, o sexo é parte da vontade de Deus para maridos e esposas. É uma maneira pela qual eles o glorificam (pense nisso!). Eles não devem negá-lo um ao outro. Ame seu marido, ame o corpo dele, ame estar perto dele. Leia o belo Cântico dos Cânticos, um poema de amor incluído na inspirada Palavra de Deus (poderíamos imaginar que um poema de amor devesse estar na Bíblia?), que descreve as belezas da amante aos olhos do amado e as do amado, aos olhos da amante. Eles enxergaram um ao outro. A cabeça dele, seu cabelo, seus olhos, sua face, seus lábios, seus braços, suas pernas, sua aparência, sua voz, todos são mencionados com êxtase. "O meu amado é alvo e rosado, o mais distinguido entre dez mil" (Ct 5.10). Essa mulher tinha olhos para ver, um coração para amar e a capacidade de expressar isso em palavras.

Talvez todas essas três coisas precisem ser aprendidas (mais por algumas mulheres do que por outras), mas eu realmente acredito que podem ser aprendidas. A esposa precisa de olhos para ver, em todos os seus aspectos, o homem que Deus lhe deu. Ela precisa de um coração treinado na prática de amá-lo. Ela precisa ser capaz de expressar o que vê e quanto ama. Somos seres humanos, feitos de carne e sangue, bem como de cérebro e emoções. Foi preciso que o Verbo se fizesse *carne* para podermos verdadeiramente entender como Deus é. Um homem inicia seu pedido de casamento com uma declaração de amor: "No princípio era o Verbo". Ele o declara de todas as maneiras que consegue imaginar — através de palavras, gestos, olhares, presentes, flores. Mas é somente quando ele se casa com a mulher que a palavra enfim se torna carne, e seu amor é expresso mais plenamente. Mas, então, a carne deve tornar-se verbo outra vez. Tanto a mulher como o homem precisam ouvir, repetidamente, que são amados. "Tu és toda formosa, querida minha, e em ti não há defeito" (Ct 4.7). Verbo, depois carne, depois verbo, e assim por diante ao longo de toda a vida.

Para uma mulher, a essência do prazer sexual é a entrega. Entregue a si mesma de forma completa, alegre e hilariante. (Já falamos alguma vez sobre a hilaridade do sexo? Ninguém me havia preparado para quão divertido ele pode ser às vezes!) Nem o marido nem a mulher devem privar um ao outro desse prazer, exceto por mútuo consentimento, por um período limitado. O corpo dele agora pertence a você e o seu, a ele. Cada um tem "poder" sobre o corpo do outro, cada um mantendo o outro em santidade e honra diante de Deus. Você descobrirá que é impossível traçar a fronteira entre dar prazer e receber prazer. Se você se preocupar, acima de tudo, em dar, o receber será inevitável.

Em alguns momentos, você sentirá que é impossível entregar-se, e seu marido, por amor a você, não o exigirá. Em outros momentos, você sentirá um apetite voraz, e ele não desejará nada além de cair na cama e dormir imediatamente. Então, seu amor por ele desejará o que ele quer, acima do que você mesma queria. Esse é outro tipo de entrega.

Você desejará trazer ao seu amado seus próprios tesouros. Eles não lhe devem ser revelados antes do tempo, nem compartilhados em retrospecto com qualquer outra pessoa. Essas são suas próprias dádivas, únicas e excepcionais, e que não devem ser reduzidas a lugares-comuns. Considere-as sagradas. Como Rabindranath Tagore escreveu: "Meus momentos marcados por Deus não precisam ser avaliados em praça pública".

As coisas nem sempre serão claras e simples. Nesse assunto, como em todos os outros em que sua vida está intimamente ligada à de seu marido, você às vezes perceberá que precisa de ajuda. Lembre-se primeiro de que o próprio amor — o "coração educado" — tem uma maneira de lhe ensinar o que fazer. A ansiedade é pior do que inútil; é destrutiva. Paulo escreveu: "Não vivam preocupados com coisa alguma; em vez disso, orem a Deus pedindo aquilo de que precisam e agradecendo-lhe por tudo que ele já fez. Então vocês experimentarão a paz de Deus, que excede todo entendimento e que guardará seu coração e sua mente em Cristo Jesus" (Fp 4.6-7, NVT). Foi Deus quem inventou o sexo. "Aquilo de que precisam" inclui as necessidades sexuais. Você pode falar com Deus sobre elas. Não é possível chocá-lo ou deixá-lo envergonhado. "Se algum de vocês precisar de sabedoria, peça a nosso Deus generoso, e receberá. Ele não os repreenderá por pedirem" (Tg 1.5, NVT).

LEALDADE

Uma terceira coisa que faz um casamento dar certo, além da aceitação da ordem hierárquica e do uso adequado do sexo, é a lealdade. A lealdade se baseia no orgulho, no tipo certo de orgulho que reconhece o valor intrínseco daquele país, instituição, lugar ou pessoa que é objeto de lealdade.

Temos visto mulheres que claramente não são leais a seus maridos. Não quero dizer que sejam infiéis, mas, sim, que elas não têm orgulho de ser suas esposas. Às vezes é porque os desprezam. Às vezes é a boa e velha inveja. Uma amiga se queixou comigo porque estava cansada de não ser ninguém. Ela era apenas "a esposa de Mick". Mick era um homem proeminente em determinados círculos, um homem bastante atraente e muito bem-sucedido. Muitas mulheres teriam considerado mais do que suficiente passar o resto da vida como esposas de Mick, mas Liza queria ser Liza. Ela era bonita, simpática e considerada um bom par para Mick, mas aquilo não era o bastante para satisfazê-la. Penso que uma mulher deve estar disposta a correr esse risco. Quando ela toma o nome do marido, concorda em ser conhecida como esposa dele. Nada me empolgava mais do que ser identificada com um homem em particular. Eu não me importava se as pessoas pensariam em mim como esposa dele. Eu amava isso. Nunca senti que minha própria personalidade estava "submersa". Estava orgulhosa dele e sabia que uma nova personalidade, a personalidade do próprio casamento, é criada quando duas pessoas se casam.

Orgulho envolve identidade. Você deve identificar-se com alguém para se orgulhar dele. Temos orgulho das conquistas americanas apenas porque somos americanos. Temos orgulho do time de futebol local e dizemos que "nós" vencemos.

Nos rabiscos que encontrei em sua escrivaninha e perto do telefone, vejo seu novo nome escrito muitas vezes e com muitos floreios. Você mal pode esperar para adquirir essa nova identidade. Você já começou a pensar em si mesma como sendo dele e quer que o mundo inteiro saiba disso.

Essa lealdade vai lhe trazer sofrimento. Quando falei sobre o sofrimento que o amor pode acarretar, você me pediu para entrar em detalhes. Aqui está um deles. Se você tem orgulho de seu homem e é leal a ele, sofrerá quando ele for criticado. Nenhum homem em posição pública escapa de críticas, e você deve estar ao lado dele quando as críticas vierem. Eventualmente, você saberá que a crítica é justa e, por ser leal, sofrerá ainda mais. E, em virtude de sua identificação com esse homem, você será incluída na crítica.

Quando ele falhar, você não pode orgulhar-se de sua falha, mas pode ser leal. Você pode manter a fé na ideia que Deus teve ao criá-lo; e pode confortá-lo e apoiá-lo, dando-lhe a força de seu amor e o incentivo que seu orgulho em relação a ele sempre infundirá.

"Pois, quando todas as coisas foram criadas, nada se criou melhor do que isto: ser a companhia de um homem solitário, o tônico para um homem triste, o fogo de um homem com frio. [...] Não há nada igual sob a abóbada celeste".[24]

---

24 Charles Kingsley, *Westward Ho* (New York: E. P. Dutton & Company).

48
AMOR É AÇÃO

O solstício de verão acabou de passar e os dias são longos, ensolarados e claros. É chegada a noite, e quase não se vê uma onda movendo-se no porto. O profundo azul do céu escurecendo se reflete no profundo azul da água. Os barcos ancorados ficam totalmente dourados com o sol poente, e a Ilha Morris, do outro lado do porto, exibe um aveludado verde-ouro na luz tardia, destacando-se contra o crepúsculo. Uma gaivota branca flutua calmamente na superfície da água escura, perto da costa. A madressilva torna o ar doce com a dádiva de seu perfume. Um pequeno barco vem do mar, "cortando a água como um par de tesouras".

Tenho apenas mais alguns dias neste lugar adorável. Você está em Oxford agora, a bela e velha Oxford, com suas ruas estreitas, seus sinos, suas fachadas verdes e floridas, suas bibliotecas, capelas e salões. Mas eu a imagino aqui comigo, nós duas sentadas no chalé, perto da lareira, conversando. Sobre a cornija, há um chamariz de madeira preta, um vaso de cerâmica marrom com plantas de inverno, um prato de cobre e uma fileira de livros que são minha grande tentação enquanto estou tentando escrever. MacDuff está deitado do lado de fora da porta dos fundos, nas lajotas frias do pátio, suas patas traseiras esticadas para trás, o rabo empinado como pequenas flores de borracha, o nariz de um preto brilhante descansando entre as duas patas dianteiras, orelhas em alerta.

Devemos conversar sobre a quarta coisa — o amor. Não é a quarta em prioridade. Não as coloquei em ordem de importância porque, simplesmente, não saberia como fazê-lo. Penso que o casamento ideal não pode passar sem nenhuma delas. Deve haver aceitação da ordem hierárquica; deve haver sexo; deve haver lealdade e orgulho; e deve haver, em tudo e por meio de tudo, amor.

Você se apaixonou. Teve a experiência com que quase todos sonham; sobre a qual os poetas escrevem; que, com alguns, se dá "à primeira vista" e, com outros, vem lentamente; e, com você, acho, depois de um contato muito breve. Lembro-me da primeira vez que aconteceu comigo. Percebi que tinha acontecido quando me olhei no espelho, pois vi uma pessoa diferente ali. "Você o ama", disse eu ao reflexo, e o reflexo respondeu que sim. Você olha para o rosto dele e tudo em você diz "sim". Você sabe, sem sombra de dúvida, que aquele é o homem a quem você poderia entregar-se com prazer. Seu coração canta, o mundo inteiro canta, a aparência das coisas se transforma.

Mas não é desse amor que quero falar agora. O tipo de amor que faz um casamento dar certo é muito mais que sentimentos. Os sentimentos são as coisas menos confiáveis do mundo. Construir um casamento tendo-os por fundamento seria como construir uma casa na areia. Quando, na cerimônia de casamento, você promete amar, não está falando de como espera sentir-se. Você está prometendo um plano de ação que começa no dia de seu casamento e continua enquanto vocês dois viverem.

Seus sentimentos não podem deixar de ser afetados pela riqueza e pela pobreza, pela saúde e pela doença, ou por todas as outras circunstâncias que constituem a vida como um todo. Seus sentimentos vêm e vão, sobem e descem, mas você não faz votos a respeito *deles*. Quando você se encontra, como a personagem instável na Epístola de Tiago, "impelida e agitada pelo vento", é maravilhoso saber que você tem uma âncora. Você fez diante de Deus uma promessa de *amar*. Você promete amar, confortar, honrar e guardar esse homem. Você jura tomá-lo como seu esposo, a fim de tê-lo e mantê-lo desse dia em diante, para o bem ou para o mal, na riqueza e na pobreza, na saúde e na doença, para amá-lo e estimá-lo "conforme a santa ordenança divina", até que a morte os separe.

Nenhum de nós pode antecipar plenamente todos os possíveis detalhes quando fazemos essas promessas impressionantes. Nós as fazemos pela fé. Cremos que esse Deus, o qual ordenou que um homem e uma mulher se apegassem um ao outro por toda a vida, é o único Deus que pode tornar possível esse apego fiel. Não recebemos graça para nossas imaginações. Recebemos a graça necessária quando ela se faz necessária — "o pão nosso de cada dia [...] *hoje*". E, por ter dado a sua palavra, você se comprometeu de uma vez por todas. "Sim, assim farei com a ajuda de Deus." Nada que valha a pena ser feito jamais foi realizado apenas por meio dos sentimentos. É preciso haver ação. É preciso colocar um pé na frente do outro, percorrendo o caminho que vocês, juntos, concordaram em percorrer.

O princípio básico do amor é a entrega. Parece-me que isso é inevitável a qualquer mulher que ame de verdade. Você já sabe quão profunda e urgentemente anseia por se entregar ao seu marido. A essência da feminilidade é o ato de se entregar. Talvez seja mais difícil para o homem se entregar, mas tanto o marido como a esposa devem aprender a fazê-lo. Na esposa, a entrega vem em forma de submissão. Paulo nunca precisou ordenar que as esposas amassem. Aparentemente, ele pensou que elas fariam isso sem sua admoestação. Mas ele as lembrou de que o amor delas deveria vir em forma de submissão. Quando, no curso da vida diária, o amor que elas tão naturalmente sentem por seus maridos não é suficiente para lidar com o atrito e o desgaste, a ação ali necessária é a submissão.

Mas Paulo sabia que o amor de um homem era de um tipo diferente. Seu impulso viril de dominação, dado por Deus e necessário ao cumprimento de sua específica responsabilidade masculina de governar, torna, para ele, mais difícil entregar a própria vida. Assim, Paulo impôs ao homem o fardo mais pesado, ao ordená-lo a amar sua esposa como Cristo amou a igreja.

> As mulheres sejam submissas ao seu próprio marido, como ao Senhor; porque o marido é o cabeça da mulher, como também Cristo é o cabeça da igreja, sendo este mesmo o salvador do corpo. Como, porém, a igreja está sujeita a Cristo, assim também as mulheres sejam em tudo submissas ao seu marido. Maridos, amai vossa mulher, como também Cristo amou a igreja e a si mesmo se entregou por ela, para que a santificasse, tendo-a purificado por meio da lavagem de água pela palavra, para a apresentar a si mesmo igreja gloriosa, sem mácula, nem ruga, nem coisa semelhante, porém santa e sem defeito. Assim também os maridos devem amar a sua mulher como ao próprio corpo. Quem ama a esposa a si mesmo se ama. [...] Não obstante, vós, cada um de per si também ame a própria esposa como a si mesmo, e a esposa respeite ao marido (Ef 5.22-28, 33).

49
AMOR SIGNIFICA UMA CRUZ

Quando ainda não se é casada, ou quando seu casamento acabou e você olha para aqueles anos com saudade, certamente é bem possível idealizá-lo. Mas existe algo que permeia toda a vida, algo que nos impedirá de idealizar as coisas boas da vida, mas também nos fará suportar o que nela há de pior: a cruz. A cruz deve permear o casamento. "Quem ama também sofre".

A cruz se faz presente no exato momento em que você reconhece um relacionamento como uma dádiva. O mesmo que dá também pode tomar a qualquer momento e, sabendo disso, você dá graças ao receber. Desejando, acima de tudo, fazer a vontade de Deus, você lhe oferece de volta como oblação até mesmo a maior de todas as dádivas terrenas, elevando-a em adoração e louvor, crendo que, ao oferecê-la, ela será transformada para o bem de outras pessoas.

Isso é o que significa sacrifício. É por isso que a cruz de Cristo "eleva-se sobre os destroços do tempo". O amor é sacrificial. O sacrifício é uma entrega, uma oferta, e o significado do sacrifício na Bíblia é dar vida a outra pessoa.

Acredito que vocês podem oferecer juntos, como casal, o amor que têm a Deus em prol de sua obra transformadora. Vocês podem ler com especial significância as palavras de Paulo na Epístola aos Romanos:

> Rogo-vos, pois, irmãos, pelas misericórdias de Deus, que apresenteis o vosso corpo por sacrifício vivo, santo e agradável a Deus, que é o vosso culto racional. E não vos conformeis com este século, mas transformai-vos pela renovação da vossa mente, para que experimenteis qual seja a boa, agradável e perfeita vontade de Deus (Rm 12.1-12).

A maturidade começa com a disposição de se entregar. A infantilidade caracteriza-se pelo egocentrismo. Somente os que são emocional e espiritualmente maduros são capazes de dar a própria vida pelos outros, só aqueles que são "mestres de si mesmos, para que sejam servos dos demais".

A maneira específica como o grande princípio da cruz funciona na vida diária está expressa, mais perfeitamente, em 1 Coríntios 13, o Capítulo do Amor na Bíblia. Ali, encontramos a prova do caráter austero e sacrificial, e não emocional, do amor.

O amor cristão é ação. Tal é a trama e a urdidura do casamento que, uma vez que o é em si a obra de toda uma vida, esse amor é trabalhado ao longo de todos os dias e anos de casamento, crescendo à medida que é praticado, aprofundando-se à medida que os cuidados e as responsabilidades vão-se aprofundando e, ao mesmo tempo, transformando esses cuidados e responsabilidades (e até mesmo o trabalho mais penoso) em uma alegria mais profunda.

Paulo disse que não é a eloquência, não é o dom da profecia ou do conhecimento, nem o conhecimento dos próprios mistérios de Deus — em última instância, não é a fé absoluta que importa. É o amor. Se conheço minimamente seu coração, sei que você não se sente tentada a pensar que tem qualquer um desses dons elevados e invejáveis. Mas você de fato ama. Disso, você está perfeitamente certa. Isso vai durar? Sim, se for o tipo de amor sobre o qual Paulo escreve.

Este amor de que falo demora a perder a paciência — ele procura uma forma de ser construtivo. No ano passado, uma garota me escreveu pedindo conselhos sobre seu comportamento em relação ao noivo. Ela já estava pensando em como repreendê-lo. Eu lhe respondi com esse versículo. Obviamente, não se pode ser construtivo sem se perceber a fraqueza. Mas, quando você reconhece uma área que necessita de um pouco de construção ou reforço, pode começar a construir, a encorajar, a fortalecer. Não perca a paciência. Construções demoram muito, e você tem de aguentar vários atrasos e inconvenientes, além de muitos escombros, no decorrer do processo.

O amor não é possessivo. Se Deus os deu um ao outro "para ter e manter", como pode não ser possessivo? O caminho é lembrar-se, em primeiro lugar, de que ele é uma dádiva e, segundo, das limitações dessa dádiva. Deus os deu um ao outro de maneira específica, por um tempo específico. Ele ainda é o mestre de cada um de vocês e é a ele, antes de tudo, que você responde. Há uma espécie de possessividade que é avareza, uma luxúria apegada e grudenta que oprime e domina. Nesse tipo de posse, não há fé, nenhuma ação de graças, nenhuma reverência pelo indivíduo criado à imagem de Deus. Ele é tratado como um objeto possuído para ser usado ao bel-prazer do proprietário. Há o medo da perda — ele pode ir embora ou ser levado embora. Confie no Deus que o deu a você, creia que ele guardará vocês dois.

O amor não anseia impressionar nem acalenta ideias exageradas de sua própria importância. Ele também não precisa fazer isso. Você já o impressionou. Você é extremamente importante para ele. Não há dúvida a esse respeito. Aceite o fato e descanse ao lado dele. Seja mansa, reconhecendo que existem áreas da vida dele nas quais ele não precisa de você.

O amor tem boas maneiras e não busca vantagens egoístas. Já se definiu a cortesia como "um monte de sacrifícios triviais". Ao se levantar rapidamente de sua confortável cadeira quando sua esposa entra na sala; ao saltar do carro debaixo de chuva para lhe abrir a porta; ao puxar a cadeira da mesa para ela se sentar; por meio de todos esses gestos (que lhe custam pouco), o marido demonstra não que ela seja indefesa e necessitada de ajuda física, mas que ele se preocupa com ela. Ela se agrada ao ser reconhecida dessas maneiras especiais — e ele se agrada porque ela se agrada. É um pequeno preço a pagar por uma sensação calorosa. É mais um pequeno aperto nos laços que os unem.

O amor não é emotivo. O amor se emociona — ou seja, é profundamente sensível aos sentimentos do outro; fica triste quando ele está triste; ferido, quando ele está ferido; feliz, quando ele está feliz. Mas o amor não é emotivo. A emotividade se refere à reação ao tratamento de outra pessoa. Quando duas pessoas vivem em amor, partem do pressuposto de que o amor está na base de qualquer tratamento que recebam. Isso elimina muitas feridas em potencial. É verdade que sempre é mais fácil ferir alguém que você ama, pois tudo que você faz e diz é muito importante para essa pessoa. Mas reagir de forma magoada é emotividade. O amor não é emotivo. O amor dá o benefício da dúvida. E, mesmo que a dúvida persista, reaja com amor. Não retribua mal com mal.

O amor não leva em conta o mal nem se vangloria na maldade de outras pessoas. Pelo contrário, ele se alegra com todos os homens de bem quando a verdade prevalece. Recuse-se, expressamente, a compilar uma lista de infrações para algum dia despejar sobre seu marido, quando ele reclamar de algo que você fez. O amor mantém uma ficha em branco. Isso não significa, claro, que seja possível esquecer todas as ofensas. "Perdoar é humano, esquecer é divino". Você pode ter de perdoá-lo quando ele a machucar e, depois, perdoá-lo mais uma vez e sempre que se lembrar da ofensa, mesmo que ela lhe venha à mente quatrocentas e noventa vezes. Você descobrirá que o perdão consome menos tempo do que o ressentimento.

A perseverança do amor é ilimitada, sua confiança é infinita e sua esperança, inesgotável; o amor pode sobreviver a qualquer coisa. Ele é, na verdade, a única coisa que permanecerá de pé quando tudo o mais houver ruído.

Essas são as regras básicas. É assim que realmente funciona essa coisa chamada amor — num casamento e no mundo.

Na intimidade do casamento, você se oferta contínua e alegremente. Quando você se entrega ao seu marido, está, na verdade, dando-lhe vida. Você está dando à vida dele um sentido que antes não estava presente e, queira ou não (entre os fatos inescapáveis, esse é um dos mais surpreendentes e belos), de repente você encontra sentido em sua própria vida por causa desse sacrifício. Seu marido, ao amá-la como Cristo amou a igreja — ou seja, ao entregar a vida por você —, enche-a de vida e dá sentido à própria vida dele. Um princípio espiritual inexorável se põe em movimento. O que ocupa sua mente não é a entrega, mas a alegria. Cristo, ao suportar a cruz, conheceu a alegria que lhe estava proposta.

Não se pode falar sobre a ideia de igualdade e a ideia de entrega ao mesmo tempo. Pode-se falar em parceria, mas é a parceria da dança. Se duas pessoas concordam em dançar juntas, concordam em dar e receber, em quem vai liderar e em quem vai seguir. É assim que a dança funciona. Quando há insistência na liderança de ambos, não há dança. É o prazer da mulher em se submeter à liderança masculina que dá liberdade ao homem. É a disposição do homem de assumir a liderança que dá liberdade à mulher. A aceitação de suas respectivas posições os libera e os enche de alegria.

Se você, Valerie, puder entender sua feminilidade sob essa ótica, conhecerá a plenitude da vida. Ouça o chamado de Deus para ser mulher. Obedeça a esse chamado. Canalize suas energias para o serviço. Talvez seu serviço consista em se dedicar a um marido e servir ao mundo por meio do esposo, da família e do lar que Deus lhe dá; ou talvez você, na providência de Deus, deva permanecer sozinha para servir ao mundo sem o consolo de um marido, de um lar e de uma família; em todo caso, ao servir, você conhecerá a plenitude da vida, a plenitude da liberdade e (sei bem do que falo) a plenitude da alegria.

FIEL
MINISTÉRIO

O Ministério Fiel visa apoiar a igreja de Deus de fala portuguesa, fornecendo conteúdo bíblico, como literatura, conferências, cursos teológicos e recursos digitais.

Por meio do ministério Apoie um Pastor (MAP), a Fiel auxilia na capacitação de pastores e líderes com recursos, treinamento e acompanhamento que possibilitam o aprofundamento teológico e o desenvolvimento ministerial prático.

Acesse e encontre em nosso site nossas ações ministeriais, centenas de recursos gratuitos como vídeos de pregações e conferências, e-books, audiolivros e artigos.

Visite nosso site
www.ministeriofiel.com.br

Esta obra foi composta em Proforma Book 11,8, e impressa
na Promove Artes Gráficas sobre o papel Polen 70g/m²,
para Editora Fiel, em Maio de 2025.